CB019569

O frango ensopado da minha mãe

A marca FSC® é a garantia de que a madeira utilizada na fabricação do papel deste livro provém de florestas que foram gerenciadas de maneira ambientalmente correta, socialmente justa e economicamente viável, além de outras fontes de origem controlada.

Nina Horta

O frango ensopado da minha mãe

CRÔNICAS DE COMIDA

COMPANHIA DAS LETRAS

Grafia atualizada segundo o Acordo Ortográfico da Língua Portuguesa de 1990, que entrou em vigor no Brasil em 2009.

CAPA E PROJETO GRÁFICO DE MIOLO: Elisa von Randow
FOTO DE CAPA: Steve Gorton/ Getty Images
PREPARAÇÃO: Lígia Azevedo
REVISÃO: Ana Maria Barbosa
Márcia Moura

Dados Internacionais de Catalogação na Publicação (CIP)
(Câmara Brasileira do Livro, SP, Brasil)

Horta, Nina
O frango ensopado da minha mãe : crônicas de comida / Nina Horta. — 1ª ed. — São Paulo : Companhia das Letras, 2015.

ISBN 978-85-359-2639-2

1. Crônicas brasileiras I. Título.

15-07062 CDD-869.8

Índice para catálogo sistemático:
1. Crônicas : Literatura brasileira 869.8

[2015]

EDITORA SCHWARCZ S.A.
Rua Bandeira Paulista, 702, cj. 32
04532-002 — São Paulo — SP
Telefone: (11) 3707-3500
Fax.: (11) 3707-3501
www.companhiadasletras.com.br
www.blogdacompanhia.com.br

sumário

negócios

receitas

cotidiano

ficção

costumes

poderá gostar também de…

viagens

amigos em comum

quem somos

exílio

QUEM JAMAIS MUDOU DE PAÍS, de estado ou de cidade, jamais perdeu sua casa, pode não entender o que é mudança, exílio. Na literatura do mundo inteiro é o assunto que mais aparece, a meu ver. Geralmente aquele que se muda é dono de um estranhamento, de um vago sentimento de "não pertencer" que lhe possibilita a curiosidade em relação ao outro, ao diferente.

Não sei como mudar de Pirassol da Praia para Nova York pode doer. Mas dói.

Está passando todos os dias na TV, de madrugada, um documentário sobre Portinari. Bonito. O homem viajava o mundo inteiro, mas só pensava em Brodowski, nos roceiros de Brodowski, nas crianças de Brodowski, nos velhos enrugados de Brodowski. Dizia ele que só sabia pintar roceiros e, por mais que se esforçasse, tudo o que pintava virava roça, não tinha jeito.

Os indianos sonham com a Inglaterra, mudam para a Inglaterra, transformam-se em ingleses, mas escrevem livros de exílio e comem curry. Vejam, o rabugento do escritor Naipaul pode ter nascido em Trinidad e Tobago, mas é indiano até o cerne da alma (vegetariano doente). E fica lá, engastado numa casa de campo inglesa, como um lorde, se queixando e escrevendo sobre a Índia, a África…

Para onde você voltaria se fosse obrigado? Qual é sua primeira terra, sua primeira comida, seus primeiros cheiros, sua toada?

Já ouviram o Reynaldo Gianecchini contar que, ao ficar com raiva, desanda a puxar os erres do interior de São Paulo e ninguém segura? E os cariocas que moram em São Paulo a vida inteira e sempre esperam encontrar o mar quando viram a esquina. Ou uma padaria portuguesa. Ou prédios com cheiro de peixe frito na área de serviço. Maresia, gaivotas e ventinho na orla.

E a comida, então? O caseiro de Paraty nos servia um cuscuz de manhã, para tomar com café, e biju com manteiga. A baiana de Vitória da Conquista me trazia (com carinho) uma batata-doce para comer às cinco da tarde. Era um lanche, ri no começo, agora me acostumei e sinto saudade. Às vezes, pasmem, na falta de batata-doce ela me trazia uma cuia rasa de farinha de mandioca. Só a farinha.

E tem uma hora em que você está distraído, jantando num restaurante caro, e sente aquele "não pertencer" no ar. Você realmente não conhece aquele lugar. Aquelas pessoas nunca atravessaram as ruas estreitas do centro da sua cidade, não compraram livros em livrarias pequenas e antigas, não sentiram de perto a negritude das gentes, nem o cheiro delas, nem o choro e o canto delas, não leram *Pituchinha é uma bonequinha*, não comeram as empadinhas da padaria do prédio do qual Aída Curi saltou ou no qual foi currada, não acordaram com a notícia de que haviam posto fogo num mendigo, não foram tocadas pela sensualidade exacerbada da beira-mar, o calor pedindo nudez, não moraram no mesmo prédio em que Manuel Bandeira morou, e você pensa: "O que estou fazendo aqui, jantando vieiras com aspargos sob um lustre de cristal preto?". Não sou eu, com certeza. Meu lugar é lá, na ala das velhas baianas. Me esperem que estou chegando para a feijoada.

cheiros

DE VEZ EM QUANDO uma produtora de revista pede um cardápio para fotos. Vou protelando porque sei a trabalheira, correria escada acima e abaixo, passar shoyu no pato para dourar, trocar a fatia de chocolate que suou, retirar o sorvete que derreteu.

"A luz está boa, sobe aqui neste banquinho para ver", diz o fotógrafo, e o pato que você fez está lá longe, muito pequeno e de cabeça para baixo.

"Hum...", resmunga a cozinheira. Mas o fim não está próximo. Agora é preciso mandar por e-mail as receitas pormenorizadas, tintim por tintim.

"Não dá para dizer pegue o pato, lave o pato, asse o pato?", faço-me de inocente.

E o pior é que sei, no fundo do coração, que a única receita é esta de pegue o pato, lave o pato... Quem precisa obedecer, como você e eu, às colherinhas, gotas, salpicos, nunca encontrará a essência do pato, que ora é um, ora é outro, nunca o mesmo no tempo e no espaço, nem ele nem seus ingredientes, nem nós, nem nada. *Aburrida* pela pressão da produtora, vem a grande tentação da receita de um pato feito de impressões, de vivência do corpo, de artifícios da memória. Temos que entregar a receita ao nariz e à boca, introjetar o pato, resolvê-lo sensorialmente e só depois levá-lo à panela.

Pegue um ramo de cheiros: de preferência catados na infância urbana cheia de lotes vazios com terra esburacada e esturricada, montes de areia, pedaços de tijolos quebrados, pés de mamona de folhas largas, cachimbinhos feitos do caule, um primeiro gosto de perigo, pois o lote era vazio e a mamona, venenosa.

Cheiros bem perto do corpo, de algodão Bangu rascante e permanente Toni. Cheiro de rádio estalando, roupa recém-lavada, e a empregada passando enquanto escutava a novelinha de Sarita Campos. E lá pelas cinco ou seis horas era só um cheiro de selva com o grito retumbante de Tarzan chamando as Janes em flor.

A vizinha apelidada de Natália, a italianinha, recheava o pão com azeite e alho, dona Hermínia fritava alcachofras, Judith fazia *gefilte fish*, Rutênio era aviador e trazia coca-cola com gosto de sabão Aristolino, e dos sobrados saía um cheiro de carne de panela.

Não faltava uma poeira quente de sol, o jogo suado de amarelinha, cheiro de borracha de pneu de bicicleta, da sua bicicleta azul, alumínio quente roçando as coxas e patins riscando o cimento áspero e afundando levemente o piche do asfalto.

Cheiro do primeiro livro-presente no bolso do pai, de couro azul-marinho, trabalhado em escamas. O melhor cheiro do mundo, o decisivo, em contraposição ao pior cheiro do mundo, cocô de gato de estimação, perdido embaixo de um armário decisivo também para o sumiço do gato.

A mãe não tinha cheiro, não suava e usava Bois Dormant. O pai, pura loção de barba e às vezes Cuir de Russie.

O colégio cheirava a muitas camadas de tinta a óleo, massinha e giz. E a lágrimas amargas choradas e lambidas, inexplicáveis, quando o piano era sacudido nas aulas de canto por *Cachorrinho está latindo lá no fundo do quintal.* Cheiro de café com leite engolido às pressas, sanduíche de lancheira e cheiro de fundo de mala com ciscos de borracha velha e lascas de lápis apontados, que ressurge sempre no cominho seco das receitas.

O trem mudava o cenário, cheiro de máquina, ferro, fumaça, pó preto, metal desconjuntando, gemendo, chacoalhando, cheiro de trem que atinge o cérebro. E aí o Rio de Janeiro, apartamento de avó, escuro, velando papinhas de maçã e leite em pó. Os primeiros bafos de maresia e lixeira de corredor.

A vastidão de Minas, craquelenta ao sol, clara, aberta. Os rios de águas claras que não se contaminam com o lodo, cheirosos frescos, adolescentes rindo em burburinhos e brincos prateados de piaba. Enroscados nas pedras os bagres, cheirando a terra, bigodes levemente deprimidos. E, debaixo das mangueiras velhas, a umidade do tronco escorregadio, as folhas apodrecendo no chão, o gosto súbito de terebintina, de doce, de manchas pretas, a gosma amarela repuxando as bochechas.

E os cheiros mais fortes, os de sempre, permeando a roça, o caminho, a estrada; os cheiros de estrume, fogueira, pólvora, jasmim, fogo apagado com água jogada nas cinzas. Estes são os ingredientes básicos do pato com laranjinhas-da-china. Passemos ao modo de fazer...

alphonsus de guimaraens

A *FOLHA* UM DIA ME PEDIU uma crônica sobre Alphonsus de Guimaraens, meu tio-avô. No meu tempo de criança, ele era tido como um grande poeta. Dizem as más línguas que foi substituído por Cruz e Souza por causa da cor. Não acredito. Só porque Cruz e Souza era negro? Vai saber...

Meu avô, Arthur da Costa Guimarães, era o irmão pragmático de Afonso. O engenheiro, professor catedrático de estabilidade das construções, escrevia livros sobre pontes, empuxo de terras e muros de arrimo, e ameaçava os filhos de porão, pão e água se ousassem um único soneto.

De que tinha medo o avô Arthur? Com certeza da vida difícil do irmão, do solitário de Mariana. "Tu que vais plantar açucenas e lírios bem sabes que afinal só colherás martírios."

Não sei da religião de Alphonsus. Meu avô, meu pai e meus tios não falavam em Deus, mas foi por meio deles que ouvi as primeiras sonoridades místicas do poeta. Os círios, os lírios, a pobre lua nova tão pequena, a catedral ebúrnea dos seus sonhos, toda branca de luz, as mãos cujas veias azuis parecem feitas da mesma essência astral dos óleos bentos. E cinamomos, muitos cinamomos.

As histórias que escutava quando pequena não eram da Branca de Neve. Ou até eram, por causa das brancas mortalhas e do brasão dos avós, "campo de neve onde agoniza um coração". A heroína, a princesa, figura principal da saga familiar, sempre foi Constancinha, filha de Bernardo Guimarães, a prima e noiva morta de Alphonsus. Minha mãe, que conhecia Zenaide, a mulher verdadeira, de carne e osso, torcia o nariz para aquela noiva que não se enterrava jamais. "Ela tossia. Pelos ninhos cantava a noite, toda luar. S. Bom Jesus de Matozinhos olhava-a como que a chorar..."

"E o quarto dos noivos?", perguntávamos, sem ar. "Em frente ao leito dos amores nossos, uma caveira a rir eternamente, nos braços de uma cruz talhada em ossos." Confundíamos um pouco a noiva com Ismália enlouquecida, posta na torre a sonhar. Sua alma subiu ao céu, seu corpo desceu ao mar, e era tudo mais ou menos a mesma coisa. Crescemos. Santo de casa não faz milagre, e citava-se o bardo corriqueiramente, por dá-cá-aquela-palha. Se houvesse suspeita de um perigo no ar, falência, doença, marido traído, era de praxe declamar em voz soturna: "E o sino geme em lúgubres responsos: Pobre Alphonsus! Pobre Alphonsus!". Nas horas de depressão, desânimo, xícara quebrada, comida queimada: "Ah, se chegasse em breve o dia incerto!". Diante de uma pedra no caminho, de uma topada no dedão, de uma empregada maluca: "Satan, va-t-en! Va-t-en, Satan!".

Hoje me intrigo como vicejou, naqueles cafundós de Mariana, um senhor Alphonsus com tanto misticismo nas veias, tantas palavras esdrúxulas na cabeça, tanto Verlaine no bestunto, tanto francês perfeito, tantas referências fora de seu mundo. Como diria seu irmão Arthur: "Muita novela nesta cachimônia!!! Va-t-en, Satan! Satan, va-t-en!".

Das virgens mortas passamos para a deliciosa galinha cega de João Alphonsus, para a escrava Isaura, Rosaura, a enjeitada, o ermitão de Muquém. Sabendo, cúmplices, que por trás de todos os livros da estante, escondido das crianças ficava *O elixir do pajé*, muito, muito mais sintonizado ao gosto dos homens da família.

Com ancestrais tão letrados, tios, tias, sobrinhos e sobrinhas se correspondiam furiosamente à falta dos sonetos. Imagino que, se colecionadas, essas cartas fariam a obra mais divertida e bem escrita da família Guimarães. Dos Guimarães do copo, como se autodenominavam. Sinceramente, não imagino o porquê.

lembranças

TODO MUNDO QUER REMINISCÊNCIAS. Parece até que ninguém está mais interessado em comer, só em lembrar. De jaca, de tamarindo, de mangarito, de empadinha com recheio úmido. De comida de alma, de comida de mãe. Já lembrei tudo o que havia para lembrar, acabou-se o que era doce.

O resto, se é que existe, está guardado no esquecimento com a menina loura de trança grossa, o menino de topete de gomalina, mortos tantas vezes, a cada dia, a cada hora. É deles que temos saudade, das vítimas do tempo, e não há vantagem em querer ressuscitá-los à força em imagens distorcidas.

A memória só acode subitamente, quase brutal, quando, ao se regar o jardim, por exemplo, pisa-se no tomateiro. O cheiro traz de volta a menina de tranças, frágil, nua, quase uma polpa trêmula. E, na página seca de um jornal, não há possibilidade de representar a força onírica e lírica de um tomateiro machucado.

Temos uma vocação para a saudade da época em que as coisas se manifestavam pela primeira vez, a alcachofra, uma caixa de segredos, quando o hábito ainda não escondera a intrigante caminhada roxa e verde até o centro. Sensações elementares que se repetiam, confortantes, simples e caseiras, os barulhos do café da manhã sendo arrumado na cozinha, o pão estalando com manteiga.

As brincadeiras no jardim de buxinho impedindo o caminho das formigas, a chamada para o caracol sair da casa, vem para fora que tem sol, o almoço de mão lavada, cabelos úmidos para trás, a galinha assada luminosa. A tarde demorando a passar em ouro e tanajuras. Mais longe, a terra dura, o aboio, uma pequena boiada passando eternizada pelo cheiro delicado do estrume. O tempo parado.

Tudo era vago, gelatinoso, incerto, deslumbrante. O interesse se comprometia todo com um pé de galinha, a sensação primitiva daquela pele, a curva feroz daquela unha. Só nos lembramos de verdade daquilo que miramos com atenção desatenta, que fica preso naquele fundo de alma, na borra que o hábito não cobriu, lugar sem chave. É lá que se grudam as memórias, a essência, o perfume, todos os vidrilhos de cada eu, coisas das mais simples, nosso mundo vivido, embrulhado, escondido de nós mesmos.

Queremos memória, as horas infinitas, o bem-estar, o pequi, a goiaba verde, o melão-de-são-caetano gosmento, a haste ensolarada de capim, os biscoitos amarelos muchibentos com gosto de armário. Os porcos debaixo da casa, espanto e medo, os fantasmas solenes das varandas mineiras de poucas palavras e muita tosse.

E as memórias só surtam na hora do desastre, do choque, quando se pisa no tomateiro e a lembrança vem inteira, o tempo, a hora, o cigarro; a barba áspera, a promessa segura do abraço. Queremos ir longe, ao dia em que deixamos de ser peito, praia, nuvens, bicho de goiaba. Queremos a hora da borboleta, do desatar, em que viramos "eu", a manga é a manga, eu sou eu. Saudades de nós mesmos, naquele lugar, com aquela gente.

terroir, terreiro

QUE COISA! Aquela foto do senador com a boca rasgada de pequi diz tudo de nossa brasilidade! Em Goiás e nunca viu um pequi? É como um francês engolir um caroço de pêssego por não saber que pêssego tem caroço. Fiquei com vontade de fazer um postal daquela cadeira de dentista e da bocarra, para vender em banca, símbolo augusto de nossa ignorância quanto às coisas brasileiras. E o pior é que esta é a nossa mais perfeita imagem. Com um país deste tamanho, sabemos, quando muito, de nosso canto, e o resto se perde na imensidão. Quase tudo do Brasil nos é estranho.

Ando apertada com os leitores que querem saber mundos e fundos das comidas da roça, exilados das origens, presas da cidade grande com carência de coisas miúdas que teceram sua infância. É uma sede funda que ninguém consegue mitigar, muito menos eu, criada à sombra da Casa Santa Luzia, da venda de seu Manuel, da feira da Oscar Freire, com tudo em pacote, pesado na balança, vida de cidade mesmo... Verdade que tinha as férias, mas o que são férias na vida de uma pessoa? Dois minutos de jabuticabas, um segundo de pitanga, um quarto de hora de frango ensopado.

Além disso, era muito difícil sair da cidade grande para a roça. Conforme a distância da roça, é claro, mas a minha era longe de doer. De trem e com baldeação em Barra do Piraí. Baldeação, pode existir palavra mais perigosa? Aquele medo irracional de sempre, de tirar o pé de um mundo e de não conseguir botar o pé no outro... Barra do Piraí, um verdadeiro purgatório, só uma estação, e um rio que não adiantava nada, porque não molhava aquela secura de deserto, fuligem, trem que travava a garganta. Era a antecâmara do céu azul de Minas, das limas de bico, dos meninos de cabelo louro estriado, do monjolo, do pé de ingá debruçado na água e da loucura, da mansa loucura.

Sempre me lembro de Minas com olhos de criança deslumbrada, encantada com o lado da passividade azul-cremosa, mas que ninguém se engane, ele serve para cobrir o lado escuro, o passado que pesa sem explicação, uma decadência no ar, um leve ruir que acontecia (acontece?) o tempo todo.

De Belo Horizonte, que também era uma pedra no caminho da cidade de uma rua só, não vou falar agora, só de um cacho de uvas de chocolate em papel laminado dentro de uma cristaleira, objeto constante de desejo, e as balas duras da Baleira Suissa. E o quintal da casa da rua da Bahia, quintal mais estranho, no tempo em que ainda se plantavam couves e taiobas em desarranjo, chegava-se a ele por escada íngreme de cimento, todo simétrico em canteiros de buxo, cravos-de-defunto, rosas frias e no céu do tal azul imaculado os urubus de BH, as premonições, as rezas, os sinos, os pecados dos homens feios vestidos de escuro, sonsos, ah, como eram sonsos os homens de Minas, de grande e fino trato com as mulheres da vida e de trato nenhum com a vida das suas mulheres. Exceções à parte.

E enfim chegava-se de jardineira àquela Minas doida de pedra, de mão dada com a mãe. Era o lado doido mesmo, hoje estou falando do lado doido, dos pomares sombreados de mangueiras, das minhocas sob os troncos podres de bananeiras, da galinha cega afogada no seu próprio escuro se debatendo no rego gelado.

De Minas pobre; dourada, mas pobre. Vá visitar Malvina que se casou e mudou, vá pegar muda de bambu na casa de Jofre, vá catar coquinho no sítio da Fia da Rosa. E então eram as velhas de cabelo cortado à faca, bocas murchas chupando meias laranjas murchas. Alguém muito nervoso pegou fogo na beira do fogão, o epiléptico rolou no chão de pedra, a "muié verculosa" (tuberculosa) chorou. O moço visitante, no meio da conversa de causos animados, levantou-se de chapéu na mão e, rígido, anunciou "Um dia, lá em casa, nóis matou um tatu", e sentou de novo, cara de alívio.

E ainda havia os ossos que desciam do morro do cemitério em noite de chuva braba e inundavam a cozinha da mulher. Ela passava as noites em claro, verdes olhos vermelhos, lutando de rodo contra a invasão das almas. Nesses lugares, não se pode sentar praça, os leitores hão de concordar, sob pena de crescer santo ou louco, as duas alternativas misturadas a cocô de galinha.

Escapei da "verculose", de louco todos temos um pouco, não maldigo a sorte de ter morado a vida toda ao pé do bacalhau e do presunto cru do Santa Luzia, mas é por isso, leitores, que pouco posso contar sobre o pequi, a gabiroba, a fruta-pão, a preá, a paca e o tatu; cotia, não.

mãe

ERA ALTA E MAGRA, *fausse maigre*, dizia meu pai. Não assisti a seu aprendizado com as panelas. Era do tempo em que a maioria das moças fazia curso normal e, no máximo, farmácia. Fico imaginando que teria arrebentado a banca em qualquer profissão, inteligente, criativa e atirada. Provavelmente uma Montessori ou mais provável madame Helena Antipoff, seu ídolo.

Acabou tendo como tarefa principal casa, marido e filhos. Lidava razoavelmente bem com empregadas, mas tinha coisas de muito segredo como as empadinhas e o camarão com chuchu. Detestava camarão, quase não aguentava o cheiro, mas o que não faria para agradar ao marido? Sabia exatamente o minuto em que camarão e chuchu se amalgamavam num gosto só, ainda durinhos, mas não muito.

As coisas mineiras provavelmente aprendera com empregadas antigas da casa da avó onde fora criada e nas férias, na cidadezinha de interior de uma rua só, no fogão a lenha, com a mãe que era uma cozinheira perfeita e meio impaciente. Ela, por sua vez, lançava-se na cozinha com tudo — sem se importar com convenções, modas, estilos ou bom gosto. Aliás, o bom gosto e a economia nasceram com ela, uma inglesa para arrumar a mesa do almoço ou do chá, tirando partido do simples e sem afetação, mas de quando em quando uma frescura vitoriana, num canapé de rodela de tomate feita com boca de frasquinho de remédio e uma salsa como folha de uma flor vermelha.

Especializou-se em empadinhas, que apareciam no domingo com um frango assado na perfeição. Era boa aquela coisa de pouca novidade, uma repetição esperada e gostosa (para nós, da família, pelo menos). Até hoje não descobrimos o segredo das empadas, suspeito que fosse banha.

Aliás, até o fim da vida foi o terror dos galinheiros, não podia ver um frango que achava uso, torcia-lhe o pescoço sem dó nem piedade e o transformava, não sem antes emocionar a filha com a moela cheia de pedrinhas preciosas ou as ovas amarelas e moles, a surpresa, o encanto, aquele cheiro que posso sentir agora, de um frango lavado em água corrente, esfregado com fubá e limão, brilhante de limpeza.

Não conseguia entender almoço ou jantar sem verduras e legumes, sempre só passados na frigideira, sempre al dente, a couve, a abobrinha, tudo em crocâncias verdes, uma expert, e a farofa quente e amanteigada.

Copiava. Competitiva, bastava alguém da família gostar de alguma coisa e lá ia ela e nhoc, roubava as glórias da comida alheia. Nas férias na Bahia, os moleques vieram vender pastel de banana. Mas aquilo não passou de dois dias. No terceiro, ela os esperou com pastéis maiores e polvilhados de açúcar na casa de Itapoã.

Nos anos 50, não resistiu ao chamado de sereia do tênder com pêssegos e cerejas enfeitado com pinhas douradas de spray, mas ninguém é perfeito.

Não me lembro de muitas carnes, de bifes (a não ser os terríveis de fígado, obrigatórios), era mais das carnes picadinhas, dos molhos, dos croquetes, rainha dos bolinhos de arroz, de mandioca, do que fosse. Em coisas de de repente, era mestra. Alguém chegava e apareciam coxinhas, ou camarões sete-barbas fritos, no improviso, aos montões, pé de moleque, bolinho de chuva, cajuzinho, jamais um bolo, não sei por quê…

Comidas simples, mas do Rosamaria aprendera umas finuras de grapefruit com cerejas, encantava o genro com a bacalhoada (aliás, tudo o que aprendeu fora de casa foi no Rosamaria), os netos com pastéis e panquecas, mas, mãe, estou precisando de seu frango ensopadinho com quiabo e angu que só aprendi a comer já bem velhusca, mas estou precisando muito, senhora mãe, coberta de ouro e prata.

comida de mãe

AI, DE VEZ EM QUANDO me dá uma saudade de comida sem responsabilidade, comida na mesa, feita por mãe ou orientada por mãe, comida que ninguém botava pensamento em cima, só comia e achava boa ou ruim. Você se sentava de mãos lavadas e esperava.

É claro que havia bastidores, certos exercícios preliminares, como ir à feira da Oscar Freire, dar um pulinho ao Santa Luzia, mas tudo muito quieto e simples, sem comentários sobre rúculas orgânicas ou *frisées*. Era o que era. E, na maioria das vezes, era alface.

Caderno de receitas, nenhum. Livros, o Rosamaria em três tomos, pouco consultado. Elegância ática da comida mineira, diria Pedro Nava. Como a mãe era muito magra e equilibrada para comer e não morria de amores por carnes e peixes, o forte eram os legumes al dente, o purê de batata, mandioquinha, cará, inhame mexidinhos, arroz de tico-tico.

O arroz pedia-se solto e cheiroso; o feijão, grosso; uma salada e dois legumes, um bolinho. Nada disso interessava muito à criança de cinco anos. Esperava a *pièce de résistance*. Minto. O feijão puro, em prato fundo, com pão, era o que havia de melhor, mas com certeza faltava-lhe o bom-tom. E o prato principal? Repetitivo, repetitivo e, por se repetir, iam se aperfeiçoando e afinando os paladares. No dia da feira eram pescadinhas fritas acompanhadas por batatas na manteiga com muita salsa e torrada com espinafre e ovo. Na hora, um limão espremido sobre o filé. O frango assado tinha gosto e era o astro do almoço de domingo, porque de frango a mãe gostava, tendo sido o terror das galinhas por quase um século. Acompanhavam a ave empadinhas de palmito, ou a precediam empadas de camarão. Eram perfeitas as empadinhas, e nenhuma empregada jamais aprendeu o segredo. Podiam forrar as fôrmas, e olho vivo para captar o segredo que variava. Saídas do forno, quentes, brilhavam marrons onde haviam sido pinceladas com gema. Sua característica era o recheio úmido e farto, nunca seco. Acho que o xis da questão era enchê-las com o recheio quase líquido que se adensava no forno.

Esse domingo que se repetia em frangos era esperado ao sol, nas calçadas de amarelinha, ou sobre patins e bicicleta ao mesmo tempo, num mundo tão seguro e tão feliz que até doía. Nos dias da semana o almoço sem o pai era rápido para evitar atraso na escola. Havia as estrelas gastronômicas que brilhavam e que a memória não consegue mais imitar. Bolinho de arroz frito, de colher, com muita salsa. O arroz era mal moído, oferecendo ainda a resistência de alguns grãos, ao mesmo tempo crocante e marrom por fora e liquefeito por dentro. A costeleta de porco jamais se repetiu fora daquela casa. Era fina, esturricada, não tinha gosto ruim de porco, frita em pouca gordura, mas guardando dentro uma umidade essencial. Vinha acompanhada por um tutu molengo, couve muito fina, e podia ser comida com a mão para alcançar os melhores pedaços. O frango ensopado não tinha rival e nunca terá. Verdade das puras. Todo o segredo impossível estava na hora de refogá-lo. Sabia-se se era hora de começar a juntar água pelo som do frigir, não pelo aspecto ou tempo. Chizzzz. E havia massa feita em casa e dependurada no varal, canja, muitas sopas e feijoada quase sem gordura, aliás, tudo magro. A mãe da casa jamais admitiu excessos de azeite, óleo ou manteiga. Fazia uma exceção para o bacalhau, que era assado no azeite, mas cujo óleo só deixava brilho e sabor.

De vez em quando um camarão ou uma coxinha empanada. As carnes se transformavam em croquetes, picadinhos. Raríssimo um bife sangrento. Rosbife, sim. Fazia rosbife cor-de-rosa com… adivinhem: farofa… e era ótimo. Não se comiam muitos doces, bolos e biscoitos, como na casa das avós. Frutas, gelatinas, compotas de pêssegos e figos frescos, pudins. Engraçado, a dona da casa, a mais criativa das mulheres até hoje, mantinha uma linha de demarcação na cozinha. Não exagerava em nada, não existia dendê nem curry, nada a não ser simplicidades mineiras e uns rasgos de Rosamaria. É que não queria mesmo. Trivial era aquilo, bem-feito e repetido. Hoje, aos noventa anos, ainda tem a cabeça incendiada de criatividade, mas vive no mundo muito fantasioso da aterosclerose. De vez em quando vai à cozinha e repete maquinalmente os movimentos de misturar e trabalhar a massa. Pega tigelas, tinas, panelas, farinha, águas, manteiga, leite, açúcar e sal e se distrai com gororobas inexistentes. Lava as mãos, serena, digna, e deixa tudo para trás, para que alguém termine o impossível. É triste.

belo horizonte

MAS, ANTES DE CHEGAR às férias mineiras, convinha parar em Belo Horizonte e visitar os parentes de minha mãe. Os do meu pai moravam no Rio, e reservávamos outras férias para eles. A história era dar uma passadinha na casa de vovó Naná, que morava na rua da Bahia. (Só mais tarde vim a saber da importância da rua da Bahia na vida dos belo-horizontinos.)

Não poderia repetir o rosto dela com perfeição, como o das minhas avós verdadeiras. Sei que era muito magra, vestido até o chão, fantasma cinzento. Mesmo o título de vovó acho que já era uma implicância para incomodar a verdadeira neta que morava no Rio e que a visitava pouco.

Uma velha senhora preta, também acinzentada, que fora escrava, fazia par com ela, muda, muda, com as pernas cheias de varizes e chinelos de lã xadrez. Engraçado que, talvez por ser muito pequena, me lembro mais do acabamento inferior das pessoas, pernas e pés, e não dos rostos, que eu teria que quebrar o pescoço para observar com mais atenção.

O clima da casa era de um passado embrulhado em papel de seda amarfanhado e posto no canto para que não se atrevesse a voltar à tona. Nem um riso, nem um barulho de copos tinindo. Quem estava ali bem sabia que quanto menos se mexesse, menor o perigo de sofrer. Afinal, o mundo era um vale de lágrimas.

A casa dava para a rua, não tinha jardim, a não ser que se aventurasse a subir uma escada de cimento, lateral, que levava aos jardins suspensos da Babilônia. Nem era preciso ser sensível para sentir a secura, a geometria esturricada dos canteiros sob o céu azul de Minas. Nada, nem uma flor, só coisas que espetavam e buxinhos com formatos rígidos e duras palmas, e os urubus rodando alto, em cima, esperando... O quê? Segredos enterrados, medo, sentia eu destrambelhando escada abaixo.

Nem de comida o inferno sem chamas era feito. Na sala, uma cristaleira antiga com um cacho enorme de uvas enroladas em papel brilhante azul. Para mim pareciam uvas de chocolate, recheadas de bebida, mas não tinha coragem de pedir, estavam lá, ano após ano, intocadas. A avó, baixinho, permitia. "Quer? Pode pegar", com voz neutra, mas eu declinava, louca de desejo.

Das comidas comuns da casa, não me lembro de uma couvinha que fosse, não me lembro de empregadas, cozinheiras, sala de jantar, nada. Mas havia passeios a uma tal de Baleira Suissa, lugar sagrado na cidade, com uma quantidade enorme de balas de sabores diferentes, escolhidas devagar pelo comprador e colocadas em saquinhos. Tinha uma de coco queimado com fiapos de coco que iam aparecendo à medida que eram chupadas com cuidado.

Enfim, Belo Horizonte era para mim uma terra triste, de mulheres desesperadas e mudas enterradas no tempo, chocolates sedutores proibidos, balas boas, mas duras como pedras. Só valia como passagem para a roça brilhante de sol que me esperava. Nunca me recuperei dessa imagem de BH. Nunca mais voltei lá por mais de um ou dois dias. Ah, que mentira, que lorota boa, eu mesma já ia acreditando.

A família de meu marido era mineira, e depois de casada ia lá todo ano nas férias de dezembro, chuva, chuva, mostrar os netos paulistas. Só que tudo já mudara, o nome do bairro era Savassi e minha sogra era a mais afamada das cozinheiras. Ou melhor, professora das cozinheiras. O fogão era elétrico, a casa era muito nova, com poucos móveis, meu sogro era tido como um grande intelectual, falava pouco e comia jiló diariamente. Lembro também que, quando casei, minha sogra, que era incapaz de fazer mal a uma mosca, uma mulher realmente generosa, me deu um caderno de cozinha com receitas dela para fazer para o filho.

Tenho até hoje, encapado com juta e com uma baiana bordada em relevo na capa. Comecei pelos cones de massa com aspargos, pela massa folhada, e a cara de Silvio era uma surpresa só com as receitas da mãe. Todas erradas, claro. Mas aposto que não foi de propósito, devia cozinhar sem medidas e ao passá-las se confundiu. Achei até bom, não tinha que competir com ela.

Agora, da infância urbana, também me lembro muito da vida, da correria de brincar, de uma gaveta de bilongues com algodão cor-de-rosa, uma revistinha com fotos de minha mãe como diretora de uma escola no Rio, na Tijuca, de meninos excepcionais, escola muito verde, cheia de árvores enormes. E um brinquedinho de um pássaro dentro de uma gaiola daquelas orientais, pontudas na parte de cima, de arame. Só. Talvez uma pedra bonita junto. De vez em quando eu corria até lá, abria a gaveta e olhava os tesouros, como para carregar a pilha.

Vamos às balas das padarias. A paulistinha. Benedita, a empregada da casa, me trancou para fora e foi namorar no dia em que todos saíram para a maternidade, pois Arthur, meu irmão, ia nascer de repente, de sete meses. O namorado dela comprou um enorme saco de paulistinha para meu consolo, sentada no degrau da varanda, do lado de fora. Era retangular, fininha, de todas as cores, enrolada em celofane transparente e quase sempre com um lampejo de agrume. Se chupada com cuidado poderia se transformar numa agulha fina de perfurar o céu da boca.

balas

A PREFERIDA ERA A BALA DE GOMA da venda do seu Salvador, em rodelas gordas, simetricamente empilhadas, com açúcar por fora, em tons pastel, com certeza comida de alma. Ganhei uma moeda de mil-réis de um tio e gastei com louco prazer e progressivo vício na venda do português. Durante o mês inteiro. No fim da moeda e dos trinta dias ele apresentou a caderneta com todas as balas de goma, compra por compra. Foi minha palavra contra a dele, e ele ganhou, o safado.

Havia uma bala ou confeito, não sei como chamá-la, que só eu me lembro. Perigosíssima. Tinha que atravessar umas três ruas para chegar a ela, na venda da alameda Campinas ou Casa Branca. Um saquinho de papel transparente vermelho e dentro uma espécie de arroz pipocado, como os cereais de café da manhã de hoje. O milagre era que o arroz cobria um prêmio, um bonequinho nu de galalite cor-de-rosa, que valia todo o perigo de ser atropelada.

O primo do Rio que se formou e veio trabalhar em São Paulo jantava em casa às quintas-feiras para comer farofa. Descia do ônibus 41 na rua Estados Unidos, numa das mãos uma caixa de marzipãs cilíndricos, compridos, cobertos de chocolate amargo. Era um gosto a ser adquirido, e foi, devagarinho. Uma cópia mais barata eram os cigarros de chocolate na caixa, que fumávamos por um momento imitando as atrizes de Hollywood, mas só por um momento, seduzidas pelo doce.

Por falar em estrelas de cinema, havia a bala Fruna, branquinha ou rosada, doce e azeda, que grudava nos dentes, puxa-puxa, e trazia figurinhas de artistas picotadas para serem coladas em álbuns que não existiam. Era um sonho só, as mulheres de cabelo pajem, homens de bigodinho, Carole Lombard, Alice Faye, Clark Gable.

Pirulitos de feira, figuras em vidro de caramelo, chupetas, revólveres, cachimbos, guarda-chuvas. Picolé de groselha chupado até ficar branquinho. Pé de moleque... O algodão-doce, a máquina escura saturada de açúcar, o cheiro quente do doce e daquela pretura condensada saía a nuvem que, apertada contra o céu da boca, espremia prazer por todo o palato.

E o homem do biju amarrado à sua própria venda, uma lata redonda e comprida. Batia uma catraca anunciando o produto. A criança chegava perto, ele descia a geringonça que era segurada por tiras de couro, como uma mochila. Juro que a maioria dos bijuzeiros tinha uma roleta sobre a tampa de lata que girava depois da compra. Se desse o número que o freguês dizia, o biju era grátis e a cara do vendedor era um desconsolo só. Muita emoção para uma pobre menina! E tinha bala de centeio na latinha parda. Meu irmão, já adulto, em Londres, mandava pedir para quem fosse de cá para lá. Matava as saudades do Brasil.

herdeira

FICO ABISMADA DE TANTA COISA que não me lembro. E de tanta bobeira que lembro com perfeição. Viagens, alegrias, sofrimentos, gentes, cada um como um álbum do Facebook, começado e não acabado, com flashes fora de propósito e sem pose, além de tudo. E o pior é que todos adoram lembrar as bobeiras, qual é a vantagem, será que nos trazem alguma coisa? Um modo de preservar o que é mínimo na história das pequenas coisas?

E como escrevo muito sobre esses não acontecimentos, quando morrem velhas avós, tias, mães, quando se desencantam baús, sou automaticamente eleita a herdeira dos espólios culinários. Entre o toque da campainha e o *ciao* vão cinco minutos, não mais. A carga despejada na sala alivia a amiga de um peso inútil de receitas amareladas, cadernos apagados, recortes de outra geração.

Gosto da velharia, só que me falta tempo para ler e lugar para guardar. Escolho ao léu uma ou outra receita, todos os cadernos, alguns livretos e levo o funeral adiante longe dos olhos das doadoras, entenderam? É um modo piedoso de deixar as amigas com boa consciência imaginando que as ascendentes femininas não trabalharam em vão, e que na minha casa as gelatinas e os pudins continuarão recriados, úmidos e trementes, que os queques e bolos do Império sairão do forno luminosos de gemas. O tempo será assim, de algum modo, reencontrado e revivido.

Com o passar dos anos arrependo-me de muita coisa que foi parar no lixo, e o que guardei torna-se mais interessante. Hoje separei alguns folhetos. A maioria não tem data, muita propaganda do pó Royal e outras marcas menos conhecidas. E fico a pensar na infinidade de pães e bolos baixos antes de chegar aqui o verdadeiro Viagra dos suflês falidos, das broas esparramadas, das sobremesas rentes ao prato.

Um dos folhetos, primoroso, tem na capa uma mulher esguia, de pijama de seda largo, chinelinho de salto, nas costas uma manta verde e rosa, um rosa seco, quase o mesmo da poltrona onde está reclinada. Ela lê. Ao seu lado, uma mesa de chá com bule, leiteira e caneca de bom design. Parece saída de um ambiente inglês, com móveis da Omega, o que é desmentido pelo mar e pela praia forrada de palmeiras que se podem ver ao fundo, pela janela aberta.

O que lê a mulher? "O que as donas de casa devem saber", Rio de Janeiro, setembro de 1933, com os cumprimentos da Anglo-Mexican Petroleum Co. Ltda. O folheto que ela tem na mão é o mesmo que tenho com ela na capa. Ensina primeiro noções de limpeza de luvas, escovas, tapetes e camurças. Depois vem a preocupação com a cútis seca ou oleosa, os cuidados a se tomar com ela e os efeitos do sol. O remédio sugerido é uma mistura de água sulfurada, suco de limão e água de *cinnamon*. Água de *cinnamon* ainda vai, mas suco de limão… Depois do sol, talvez.

Começam as receitas. Quais as comidas a serem feitas pela jovem matrona ociosa e lânguida? Doces. Mães-bentas, bolo simples, geleia de "mering", sonhos, pãezinhos para o chá, panquecas com geleia. Quase tudo com pó Royal, em negrito.

As receitas, com certeza, foram adaptadas de um folhetinho inglês, mas a mensagem verdadeira, a desculpa para o folheto é fazer com que a moça de cabelo partido ao meio se interesse por Shelltox, de "effeito fatal a todos os insetos, de qualquer tamanho, aos seus ovos e larvas".

Na última página, a senhorinha já se levantou. Animadíssima e risonha, vestiu-se com uma saia godê e blusa de gola de arminho e está a segundos de sair e comprar um jogo Shelltox composto de uma lata de inseticida e pulverizador, um depósito cilíndrico com tampinha e um pistão que vai e volta manualmente, aspergindo o líquido.

Meu Deus, *le temps retrouvé* não por meio de bom-bocado, mas com a imagem muito mais agressiva do Shelltox, o cheiro invasor, as gotas escorrendo na bomba de inseticida, fuct, fuct, permeando a cozinha, sobre os pães de mel "onde geralmente as moscas se aglomeram. E, para ter plena certeza de que está adquirindo o genuíno Shelltox, exija a lata com o Homem Vermelho, sua garantia absoluta".

Roda, roda, dá tudo no mesmo. Ô xente!

fannie farmer

ALGUMAS COISAS parecem tão fáceis, mas na realidade são as mais difíceis, Às vezes demoram uma vida para serem assimiladas. Comecei a me interessar por cozinha desde sempre. Ou melhor, por comida. Primeiro para comer mesmo, e depois para agradar aos outros, para matar a curiosidade, nem sei bem.

Um dia, passeando pelas livrarias do centro encontrei um livro, daqueles só de receitas, e adotei o infeliz como guia. Não foi uma escolha ruim. Era o *Fannie Farmer*, um clássico americano que já passou por tantas transformações que não reconheço mais o monstro.

Era só sentar, ler e fazer um cardápio baseado nele. Escrever todos os ingredientes necessários e ir para o mercado de Pinheiros. Lá, procurava coisa por coisa que o livro pedia, descia e subia escadas e ia cortando a listinha com Bic, frustrada quando alguma coisa não estava na época ou simplesmente não existia. *Fannie Farmer* era americana, e eu, brasileira da gema, pequeno detalhe.

Atentem, vinte anos depois desse processo, vinte anos depois (experiências, viagens, lembranças, muitos livros), entrei no mercado e tive um insight. Consegui enxergar não a couve sozinha, ou o camarão fresco, ou a batata do purê do dia, o A e o B e o C, mas a soma deles todos. Aprendi a ler a comida. Foi um instante raro. A mesma emoção de quando consegui ler pela primeira vez "Casa Gato".

Rasguei a lista da *Fannie Farmer.* Descobri naquela hora, pasmem, depois de vinte anos de mercado quase diário, que só é possível entender os ingredientes e misturá-los quando fazem parte de um todo.

Uma laranja só não faz verão. É somente uma laranja. Agora, se no nosso repertório existe a calda de açúcar, ela pode virar um doce, e, perto de um paio e de feijão-preto é muito refrescante. Óbvio ou complicado?

linguagem da cozinha

SÓ CONSEGUIMOS REUNIR AS PEÇAS da comida em alguma coisa bem aceitável quando se aprende as técnicas básicas, quando se lê muito (melhor dizendo, quando se vive muito), quando se tem o olho vivo e a língua curiosa, quando o erro é o melhor condutor, quando se quebra a cabeça misturando os ingredientes com muita obediência e outras vezes com liberdade total.

Quem se lembra do primeiro semestre da faculdade, quando o sociologês, o filosofês, o antropologês eram um obstáculo desolador, quase impossível de ser resolvido? E, dois anos depois, Deus que nos perdoe de jargões tão feios, falávamos felizes em epistemologia, doxa, duração, hubris, como se fosse a lista do supermercado? Ou uma língua como o alemão, que se apresenta como muralha e vai ver é a mais fácil de todas?

A linguagem oculta da cozinha também pode ser um obstáculo. É preciso estudá-la como estudamos qualquer outra matéria. Claro que alguns terão mais facilidade do que outros, alguns vão parecer que nasceram sabendo, alguns vão desistir e mudar de rumo, tudo igualzinho às outras disciplinas do vestibular. É preciso estudo, experiência, memória, imaginação, abertura, prazer, ritmo, astúcia e visão da comida como uma língua a se aprender e que devemos interpretar segundo nossas possibilidades e vivências.

E não é maravilhoso que não exista um cozinhês? Grande vantagem. Um bom feijão grosso todo mundo entende. Quase todo mundo.

quatrocentonas

ALGUÉM ME DIZ QUE NINGUÉM mais sabe o que quer dizer "quatrocentona". Que horror! Até as quatrocentonas saíram de moda... Que remédio, fizeram parte da minha vida, eram minhas amigas, tenho que falar delas.

Já contei mil vezes, passei a vida inteira aqui, e minhas boas lembranças de comida são muitas. Principalmente de imigrantes, que não tinham esse nome, mas, sim, de vizinhos. Com amigas quatrocentonas e suas mães, aprendi pouco. (Chamo carinhosamente de quatrocentona a mulher que acha que só ela tem avós.)

Para começar, o assunto "comida" era tabu. Éramos meninas muito urbanas e as raízes estariam nas fazendas das tais avós. Íamos sozinhas apenas de casa para a escola. O bonde passava em frente à Santa Luzia, à Doceira Paulista, e às vezes comíamos uma empadinha ou um quindim.

Na casa das amigas, nada que eu nunca houvesse visto. Arroz de forno, carne picadinha na ponta da faca, canja de galinha, quibebe, biscoito de polvilho, pudim de claras e rocambole, bolo de nozes com baba de moça e a mais ubíqua das sobremesas: rodelas de laranja sobrepostas e cobertas com coco ralado. Em dia de festa, peru com farofa. E lembro-me de alguns aniversários infantis mais caprichados com cachos de passas recheadas, caindo de trepadeiras, como uvas.

Com certeza a família paulistana era muito tradicional em matéria de comida e bebida e não se atrevia a inovar em nada. Só a Santa Luzia nos trazia certos laivos do grande globo. Para ilustrar, lembro que viajei com uma amiga cheia de avós a Paris, nós duas mocinhas. Ficamos no Grand Hotel sobre o Café de la Paix. Jantávamos todos os dias sob a batuta de um grande chef, a julgar pela delícia que era. E em todo jantar a amiga pedia ao garçom um arrozinho com ovo frito. O rapaz acudia, pressuroso, mas depois de uma semana escutei-o sussurrar com o companheiro em português de Portugal: "Tenho ganas de dar-lhe uns tapinhas no...". E ela bem os merecia.

Fomos crescendo em São Paulo, a amiga e eu. Nos idos de 80 ela baixou ao hospital vítima de intoxicação por sashimi, que ousara experimentar num esforço de autoeducação, já que ninguém comia outra coisa. Voltou por tempo indefinido à inocente canja de galinha com um pouco de vinagre na finalização.

Na verdade, a comida de São Paulo não era diferente da que mineiramente comíamos em casa. Um trivial que variava segundo os dias da semana, repetitivo e gostoso. Perdi a paçoca de três carnes da Carmen, o arroz de suã de porco, o tatu de panela, o mangarito, o virado de farinha de milho e muito mais, com certeza embalada pelos lombinhos e galinhas ensopadas com quiabo da minha casa.

Há dez anos, numa viagem de pesquisa, encontrei pelas mãos da Fia, sem avó aparente, no Vale do Paraíba, o que deveria ser a verdadeira cozinha paulista. Patos macios, galinha na quase coalhada, lambaris, a frescura das hortas, as frutas no pé.

Só me falta uma tarde cinzenta de nuvens, ameaçando trovoadas, quando choverão gordas içás. Vou fritá-las com farinha e comer a farofa de bundas crocantes. Só então poderei morrer, enfim, paulista.

férias em santos

DONIZETE GALVÃO, AMIGO POETA, me dá a ideia de escrever sobre a comida das pensões familiares. Diz ele que existem ainda muitas na Mooca, e já comecei um plano de visitá-las. Puxei também pela veia memorialista, que é aquela de que os leitores mais participam. E parei para me perguntar: por que gostam? Homens e mulheres correm ao baú das memórias e soltam suas lembranças. Há casos, como o do mangarito, que precisei abandonar e unir os leitores, num tipo de Orkut do mangarito.

Qual é a explicação do amor pelo passado? Imagino.

Primeiro, é uma coluna de comida, lugar privilegiado — a casa, o real, o virado para dentro, circunscrito. Somos nós por dentro, e é a partir desse núcleo já formado e seguro, debaixo de um teto, que nos ligamos a outros espaços abertos, alternativos, que vão compor nossa vida.

Um dos primeiros espaços alternativos são as férias. Pela estrada de Santos. O carro fervendo. Às vezes em hotel, às vezes em pensão ou casa alugada. A pensão não é como o hotel que anula a casa. É a casa continuada, extremamente sedutora por ter mudado de lugar. Em Santos, eram em geral casas velhas, bonitas, com entrada de areia e pedriscos, palmeiras e plantas de raízes grossas, levando a um terraço que dava acesso a casa pelos dois lados. Muitas portas, de madeira grossa, com várias demãos de tinta a óleo.

E não era um gerente que administrava aqueles quartos de pé-direito alto, aquele cheiro de curry indiano que tomava as tardes com seu perfume. (Até hoje não sei de onde vinha, talvez de umas palmeiras pequenas, comuns. Às vezes, numa esquina qualquer, sou invadida por aquele cheiro que logo se liga à maresia, à areia.)

Nas vísceras da pensão corriam mundos que não conhecíamos. Eram tantos segredos novos sobre os quais nem falávamos, só sentíamos, por falta de linguagem disponível, vidas enterradas, violências, amores, tudo embrulhado num cheiro fugaz de mofo de praia. Casal em lua de mel nos boxes de chuveiro do quintal, ele fogoso de desejo, ela impedindo qualquer avanço, aos soluços. A filha da dona da pensão, descolada; afinal era a casa dela, o mar e a areia seu quintal. Comandava um jogo de facas afiadas emprestadas da cozinha que deveríamos espetar de longe na areia úmida. Eu me esqueci das regras. Se lembrasse, acho que seria uma mulher totalmente feliz, morando em Santos e jogando o jogo da faca. E o marinheiro da Marinha Mercante que morava no chalé dos fundos quando estava em terra, um espécime muito masculino, grande e forte com bigode de pirata e uma aura de contrabando e pecado. Cheirava a tabaco e respondia a contragosto, como que receoso de estar ali conversando conosco, as perguntas sobre o mar.

A mesa do bufê não chegava a impressionar, baixela gasta, a luta por uma finura perdida nos pequenos trincados da louça. As horríveis travessas de bife acebolado, o purê floreando à volta, a surpresa de um chucrute, o agrado de um peixe assado, a revelação de uma alcachofra à judia, a tradição de um pudim de claras. E de sobremesa maior os lentos passeios até a ponte pênsil. Embaixo dela, vendiam uma bananada retangular, acabada de fazer, fininha, com açúcar cristal por cima. Os cachos de bananinha-ouro mais doces, os baiacus pescados inchando a barriga.

Tudo brilhava de um brilho novo, visto sob a perspectiva das crianças que tentavam entender os mundos diferentes de sua realidade caseira. E é dessa época, e não das comidas, que temos saudade. Os meninos começavam a mapear o mundo, o lugar, a história, os acontecimentos, e nós, meninas, mapeávamos a subjetividade, ligadas no corpo e no desejo, no labirinto do humano, real e fantasia agarrados, recheando um mil-folhas.

esclarecimentos

BEM, ERA DE PREVER que os leitores reagissem às pensões santistas lembradas na última crônica. Deixemos que falem, editados sem dó, para caberem todos. E não couberam.

MARIO CASTELLANI
Fiquei impressionado com a lembrança do cheiro que senti em toda a minha vida e imediatamente associava à praia, até descobrir que realmente é uma palmeirinha que, acho, floresce no verão. [...] A presença do cheiro trazia Santos e aquela lembrança de família em uma pensão em frente à praia. Final de ano, perua rural ligada de madrugada, malas prontas, dois dias de viagem. São Paulo, escada rolante, cinema na São João, televisão no hotel. Depois... túneis, serra do Mar, Santos, balsa, aquário, biquinha, camarão, marisco, bonde aberto, praia, areia, castelos, navios... Que bom saber que você sente esse mesmo cheiro que sinto, da mesma lembrança.

IZABEL PORTUGAL
Todos têm saudade de uma casa cheirando a mofo, perdida numa praia da memória.

LUIZ PAULO STOCKLER PORTUGAL
Quase sempre experimento sentimentos conflitantes quando apita o trem memorialista em suas crônicas. Por um lado, exulto pelo exercício da memória, muitas vezes caríssima, de tempos em que eu não tinha idade e cultura para formalizá-la em arte (literária, plástica ou musical) e a única forma era "guardar" a sensação bruta na memória. Vê-las escritas é

consolidar, renovar. [...] O cheiro de curry ao qual se refere, se não me engano, é cheiro da palmeirinha de sagu *Cycas sp*, originária do Sudeste da Ásia. Costuma ser um cheiro de verão e quase sufoca pela noite. Um perfume selvagem, almiscarado, de trópico.

Minha mãe acertadamente o chamava de "cheiro de besouro amassado" (a planta é polinizada por eles). A palmeirinha, aqui no Brasil cultivada como ornamental, é, na verdade, a origem do sagu verdadeiro, retirado do amido das raízes. A planta cresce devagar, e a extração do seu amido é complicada. Quando a mandioca chegou ao Sudeste da Ásia, praticamente substituiu o sagu tradicional na forma de *tapioca pearls*, que é o que consumimos no mundo todo hoje em dia.

Um aspecto curioso dessa "palmeirinha" é que de palmeirinha não tem nada. É uma gimnosperma como todos os pinheiros, muito antiga, jurássica, mas com a peculiaridade de ter o sexo separado: existem machos e fêmeas. Nos jardins de São Paulo, pode-se ver das duas, embora a fêmea seja mais rara. O macho é que exala aquele cheiro forte, do cone (como nos pinheiros), ou estróbilo central, que atinge sua maturação no meio do verão. A fêmea forma frutinhos redondos como bolas de bilhar.

É um cheiro muito querido por mim. Cheiro de noite depois do aguaceiro, com ar leve, que muitas vezes se misturava ao cheiro das magnólias amarelas nas ruas de Belo Horizonte. A versão com maresia eu sentia no Rio de Janeiro, na casa da tia-avó na Tijuca, ou nas ruas apertadas de Botafogo com a maresia vinda da lagoa.

UCHO CARVALHO

Volta e meia escuto relatos apaixonados pelo perfume das cicas e me sinto feliz, vingado e compreendido, pelas tantas vezes que apelo a ele, quando falo da minha infância. Faço dele trampolim para voar na minha memória caiçara, mas quase sempre a plateia passa longe de entender o quanto cabe nesse cheiro acre.

A cica, a tal palmeirinha de sagu, foi muito apreciada no paisagismo brasileiro do início do século XIX, e assim virou sinônimo de exotismo daquele francesismo caipira que nossos avós cultivavam nos jardins. Mas, para mim, o vigor da lembrança do perfume vem dos jardins da praia de Santos, onde nasci e fui criado. Palmeira elegante, fotogênica, cabe inteira em todos os fundos das fotos de infância, porque não crescem altas, mas largas e de tronco grosso. Com o calor das tardes de verão, assim que a chuva cai, ela solta seu cheiro tropical, que embora forte e arrojado, anda lado a lado com a preguiça e a modorra dessa época do ano.

Lembro-me bem de suas folhas brilhantes refletindo a luz dos postes acesos, de noitinha, na volta pra casa, um bando de crianças apressadas (ficavam na rua até o último minuto de sol) para jantar. Em março, tinha um espetáculo engraçado: o padre passava com seus ajudantes na casa da minha avó e rapavam todas as palmas de uma dessas imensas que se impunha na frente do jardim. Levavam para distribuir na porta da igreja no Domingo de Ramos. A missa era divertida, com aquelas pessoas vibrando as palmas pro alto, repetindo os gestos do povaréu na entrada de Jerusalém. Minha avó achava uma glória, mas eu ficava com pena daquelas cicas carecas, meses a fio.

produtos

biribá

É SÓ ALGUÉM tocar no país da gente, falar uma bobagem qualquer, algo como o hábito estranho de se comer doce com queijo, que o patriotismo sobe ao peito, o rosto se incendeia. Num dos poucos, senão o único, livro estrangeiro sobre comida brasileira, a autora afirma que comemos pizza com farinha de mandioca e que a farinha vem para a mesa em saleiro. É por isso que, quando vamos aos Estados Unidos, tantas vezes enchemos a pizza de sal, pensando ser farinha. Girei sobre as tamancas, queria provas, escrever para a editora, mas deixei pra lá. A ignorância deles é o reflexo da nossa. Este ano vou prestar atenção no Brasil.

Recebi uma carta de um inglês, Alan Davidson, que estava organizando o *Oxford Companion to Food*. Pedia socorro para resolver pequenas dúvidas, ou *puzzles*, como ele disse. Queria saber se a fruta biribá era importante o suficiente para constar do livro, queria saber as diferenças de aparência e textura da fruta-do-conde, da condessa, da pinha, da ata, do araticum, da anona e da cherimólia. *Rollinia deliciosa*? *Annona squamosa*?

E eu lá sei? Quem foi criado e mora em São Paulo não conhece fruta no pé, conhece fruta de apalpar no supermercado, quando muito na feira. Manga? Só a háden, musse dourada e resplendente. Nossos filhos, então, jamais engasgaram com o gosto de terebintina da manga sapatinho e tentaram arrancar dos dentes suas milhares de fibras. Nunca viram nem sentiram o cheiro levemente passado das bourbons com as manchas pretas amolecidas, cedendo ao toque dos dedos.

E, se tentamos conhecer as coisas assim, pela rama, não conseguimos. Afinal, somos apenas gente comum, que vai à feira, que cozinha, que quer aprender sem precisar entrar numa biblioteca especializada. Experimente perguntar ao feirante se sabe de onde vem a batata que ele vende. Qual é o melhor tipo para assar, fritar ou cozinhar? Quais as cerosas, quais as pulverulentas?

Quem conhece nossas frutas silvestres? Só o Silvestre Silva (autor de *Frutas Brasil frutas*). Vamos testar por ordem alfabética. Abio, araçá, bacuri, biribá, cabeludinha, cagaita, cajá, cambuci, grumixama, guabiroba, ingá, mangaba, murici, pequi, pitomba, umbu? E peixes? Ganha um prêmio quem souber o nome de dez. De rio ou de mar, tanto faz. Quem já comeu lambreta? Quem não comeu perdeu. Pelo menos as quitandas e os bolos, deveríamos fazer em casa, para tomar com café ralo, senão pela tradição, pela graça dos nomes. Beijos de freira, caboclos, amanteigados.

O que está acontecendo conosco, com nossas raízes? Isso sem falar da dificuldade em diferenciar o cará do inhame. Sobrou alguma coisa de pajé na sua cultura? Para que serve chá de mastruço, capim-santo, flor de sabugueiro, casca de catuaba, flor de melancia, quebra-pedra, jurema-branca? Meu Deus, somos brasileiros ou uma raça híbrida que não sabe nomear seus comes e bebes?

Este ano vou me dedicar à comida mineira, pelo menos, e Nova York que se dane. Vou aprender a fazer ora-pro-nóbis com cebola batidinha, salsa e pimenta cumarim. Vou descolar um pé de jurubeba e fazer conserva para comer com arroz, feijão e bife. Vou me dedicar a angu sem sal e frango ensopado com quiabo al dente. Comprar maxixe na feira, cortar bem fino e temperar para salada. E ficar em paz com minha consciência alimentar, ó pátria amada.

goiaba

TENHO O MAU COSTUME de culpar as freiras por todos os meus pecados. Desconfio que foram elas que me ensinaram a gostar mais de couves e repolhos do que de rosas e violetas. As flores não têm serventia prática, só o deslumbre da beleza e do prazer de se mostrarem.

Quando a madre superiora queria homenagear a Virgem, era o caos para as alunas. Pedia que levássemos botões de rosa-chá, belíssimos, beges, caros e raros, únicos que não pecavam por escândalo, como os vermelhos. Reparem que freiras gostam de plantas, são tão caprichosinhas com suas toalhas bordadas sobre altares e pilastras, mas se especializam em avencas, samambaias e violetas.

Vinha pensando nesses transcendentes assuntos na volta do Ceasa, à toa, pois já quase não existem freiras nem rosas-chá, e só restou essa minha doença de achar as gardênias decadentes e excessivas por não poder fazer com elas uma omelete. E foi então que o motorista da Kombi me chamou a atenção para as goiabeiras do percurso, que nascem, soltas, sem precisar de mudas, transplantes, enxertos, podas, nascem pelos cantos das ruas, debaixo de postes, encostadas nas marginais, absolutamente indesejadas, se infiltrando por gretas crestadas, nos lugares mais secos, de cimento arrebentado... Como adubo, ripas de madeira de caixotes, baganas de cigarros, papeizinhos sujos agarrados a pedrisco cinzento, latas de cocas amassadas e caixinhas vazias de Tagamet.

E a goiabeira vai nascendo ali, se fazendo em goiabas, naquela cozinha imunda, árida, engendrando a flor com a obstinação de quem não tem nada a perder. Serena, impávida, sombreando na hora em que os telhados e as pontes pegam fogo, arrancando a seiva lá do fundo, onde só o capeta acha ouro.

Na sua estrutura é uma árvore criada para criança subir. O tronco liso e tortuoso, esgalhado, abrindo espaços, de um marrom muito claro. É só passar a unha e o verde claríssimo aparece, contrastando com as formigas passeadeiras.

As flores nascem nos sovacos dos ramos novos, ou melhor, nas axilas, e são brancas, perfumadas. A goiabinha se forma em verde-escuro, vai clareando até ficar "de vez" com um gosto adstringente que é a hora da verdade da goiaba. Dali descamba para o fruto marchetado de pintas duras e pretas como pregos, ou são bicadas por passarinhos, ou se esborracham no chão com um cheiro forte e almiscarado, exagerado, penetrante, ruim, para sermos mais precisos. Ou são vendidas na Fauchon por preço exorbitante, como exóticas, com aquele mesmo cheiro de enjoo. Eles não sabem que para comer uma goiaba boa há que se morar perto do pé.

Cozidas à Pedro Nava, "têm a polpa quente e corada como o dentro dos beiços, o embaixo da língua e o fundo das bochechas". Em compota são como "orelhas em calda".

Talvez tivessem razão as freiras. Quanta barriga cheia de goiaba branca e vermelha, crua ou cozida, com bicho ou sem bicho, e as hortênsias só vibrando em cores nos jardins.

sororoca

O MUNDO DOS PEIXES sempre me colocou a uma distância respeitosa de suas águas profundas. O peixe congelado da banca não me atrai com seu cheiro maroto. Aliás, minto. Sinto pelos peixes de água doce, nas piabas, traíras e bagres, no seu hálito de lama, uma atávica fascinação, uma intimidade de outras eras que me dá certo medo e me afasta também. Então, por estas e por outras, o máximo que já fiz foi pescar umas piabinhas com vara.

As férias em Parati começam mesmo é em maio. É quando o ar fica grávido de ouro, o mar insuportável de azul, o verde terno. Pois foi assim, num dia assim, que descobri o peixe. O barqueiro já estava de cara amarrada quando chegamos. É preciso acordar cedo e respeitar as marés quando se vai ao mar e quando se quer pescar. E ele, o Tatuí, fantasiado de marinheiro, era na verdade um pescador.

Havia prometido iscas de camarões e levamos varas, mas resolve na última hora que não quer nada disso. Dá a cada um meio tijolo de isopor sujo, ou um pedaço de madeira enrolado com um fio de náilon. Era como se fôssemos às pipas, aos papagaios. Na ponta da linha vinha amarrado um pedacinho de borracha hospitalar, recortado, bege, que tremulava ao menor movimento.

Tatuí foi direto para um ponto do mar, fez com que desenrolássemos os carretéis e começou a rodar o barco em longos círculos, vagarosos, com um quê de enjoativo. Na cara de todos, um vago recato, como se estivéssemos sendo feitos de bobos, cara de "só vendo que acredito" nessa pesca de corrico.

Fisgo o primeiro peixe. Vou enrolando a linha no tijolo, o Tatuí solta o leme e pula sobre o aparato da pescaria. Vai puxando a linha e deixando que caia molemente no chão para ir mais rápido. O peixe aparece, grande em relação às pescarias familiares, e deixa um ressaibo de frustração. Afinal, quem sentiu a puxada do peixe? De quem é o peixe? Quem merece pescar o peixe?

E a história vai se repetindo. Lá pelo sexto bicho a filha já se deitava no fundo do barco, mareada. As sororocas, pois eram sororocas, depois de muita estabanação, cuspição de sardinhas, esticavam-se brilhantes, duras, hieráticas, simbólicas. Um peixe lindo. Dava um pouco de pena, que disfarçamos querendo saber o nome científico, o nome francês e inglês.

Agora, sim, vou poder traduzir esse peixe sem problema. Não é um dicionário que vai me guiar. Conheço o peixe, pesquei o peixe, sou parte de sua história, minha filha Dulce o desenhou na perfeição, dona Almerinda fritou em postas, comemos o peixe, sabemos o peixe (só assim, acredito, pode-se traduzir o peixe).

O nome em português é sororoca e se enrola gostosamente na língua. O nome científico é *Scomberus maculatus*. Em inglês, *spanish mackerel*. Olho bem de perto, tem o dorso azul-esverdeado, metálico de lata. Nos flancos é como se fosse coberto de papel finíssimo de prata e, sobre essa prata, quatro carreiras de pontos redondos e dourados. Bolas douradas!

É um peixe duro, aerodinâmico, o corpo cortado por uma linha horizontal como se houvesse sido costurado com ponto ajour. Nunca vi nem senti coisa mais linda. Fomos seduzidos pelo canto dessa sororoca. Nunca mais seremos os mesmos.

miolos

QUEM SE LEMBRA DE HANNIBAL LECTER, do filme *O silêncio dos inocentes*, baseado no livro de mesmo nome? Exatamente aquele, o psiquiatra assassino e canibal que, quando entrevistado pela aspirante a agente do FBI, conta à queima-roupa: "Sabe o que fiz quando um funcionário do censo quis me quantificar? Comi o fígado dele com favas e um belo Chianti". E o virtuosismo do autor está no barulhinho que faz, sugando a saliva, a água que lhe vem à boca, só de lembrar. Shshsh...

No livro, descobrimos que Hannibal Lecter é um homem de sua época, dos anos 80. Um gourmet, humor negro à parte, sempre dando uma piscadela para o leitor sobre a cultura americana. Depois de sua fuga espetacular, acham na sua cela *The Joy of Cooking*, de Irma S. Rombauer. Tão importante está a *nouvelle cuisine* que uma revista de culinária chique e de páginas brilhantes oferece a Hannibal 50 mil dólares por algumas receitinhas...

Na última vez que o vimos no cinema estava de costas sumindo no horizonte, vestido de Tom Jobim, num cenário carioca de pretinhos andando de bicicleta de cá para lá. Pois voltou, agora, em *Hannibal*, outro romance de terror, com os mesmos hábitos corteses, extravagantes. É um matador que também aprecia as boas coisas da vida. Não se rende à moda da década, que é comida de mãe, de avó, de casa. Também, monstro não tem mãe, nem avó, nem casa. Pelo menos esse não tem, daí o trauma.

Qual foi a primeira coisa que fez depois de sua fuga? Tomou, no hotel, um Bâtard Montrachet de muitos dólares. Como deve ter descido bem, depois de anos de cadeia! Gosta de vinhos, sim. Quando o dr. Lecter serviu o timo e o pâncreas do flautista Raspail para os outros membros do Conselho da Orquestra de Baltimore, comprou duas caixas de Bordeaux Châteaux Pétrus.

E o que mais ofereceu naquela noite? Quem deixou tudo registrado foi a revista *Town and Country*. Encomendou de Iron Gate, em Nova York, o mais fino foie gras. Por meio do Grand Central Oyster Bar conseguiu ostras frescas de Gironde. Descreveram com detalhes entusiasmados o guisado escuro e brilhante sobre o arroz de açafrão. O gosto era uma sinfonia de baixos profundos e surpreendentes, o que só se consegue com uma redução caprichadíssima do *fond* (não se aflijam: vítima alguma jamais foi identificada como ingrediente do guisado).

Em uma de suas fugas, o doutor se junta a uma excursão de avião, classe turística, lotada. O que não era nada para ele, acostumado com celas quase menores do que o espaço para esticar as pernas. O barulho das crianças era um pouco mais estridente do que o dos companheiros de corredor, mas paciência... Agora, a comida do avião não dava para encarar. Esperou que as luzes se apagassem e tirou de debaixo da cadeira um pacote da Fauchon. Aninhados lá dentro, um cheiroso foie gras e figos da Anatólia ainda úmidos de seiva.

Clarice Starling (Jodie Foster), a estagiária do FBI, a bela (o livro faz lembrar *A Bela e a Fera*), imagina rastrear o monstro através do gosto refinado dele, a praga do bom gosto, segundo o próprio doutor. Que casa alugaria? Que carro compraria? Cruza informações no computador, procura pessoas que tenham encomendado de longe javalis e perdizes escocesas.

Enquanto isso, o homem calmamente montava sua cozinha na loja Hammacher Schlemmer de Nova York. Fogareiros potentes para a mesa, panelas de cobre da Dehillerin de Paris e nada de facas inoxidáveis difíceis de amolar. Era mesmo um gourmet. "Clarice", diz ele, "o jantar excita o paladar e o olfato, os sentidos mais antigos e mais próximos do centro do cérebro. O paladar e o olfato moram em partes da mente que precedem a compaixão. A misericórdia não tem lugar à minha mesa."

Poderíamos terminar com uma receita grátis de miolos, de Hannibal. Uma frigideira com manteiga dourada e algumas alcaparras esmagadas. Os miolos frescos são um desafio de tão delicados e se desmancham com facilidade. É preciso empaná--los com farinha de trigo e migalhas frescas de brioche. Ralar por cima uma trufa fresca, saltear na manteiga de alcaparras, uma espremida de limão e *voilà*!

cobras e lagartos

ESTOU ESCREVENDO NO DOMINGO da eleição e me ocorre que o lado perdedor vai ter que engolir o sapo. Qualquer dos lados que seja. E fico me perguntando quando o sapo foi escolhido como símbolo de difícil de engolir. Com a voracidade humana, o bicho até que desceria bem, frito, se possível.

Há um banquete de coisas piores de comer no cardápio do planeta. Quintessências de sangue, o mais refinado dos sucos, remédio caseiro, alimento de vida. Bolos de sangue, pudim de sangue, sangue fervido, sangue coalhado. Esperma e tutano, testículos de galo e de boi.

No Brasil, come-se um pouco de tudo. Colaboramos com ruindades sem fim que até podem ser boas. Jacaré, tartaruga, rãs. Egon Schaden contava que os botocudos adoravam baratas. *La cucaracha, la cucaracha, ya no puede caminar, la cucaracha…*

Anchieta logo depois do Descobrimento falava nas formigas torradas, nas içás barrigudas, torradinhas, salteadas nas brasas.

E a caça ao rahu, estas lagartas brancas e gorduchas, escondidas no taquaral? Câmara Cascudo diz que Anchieta gostou delas e as comparou à carne de porco recheada. E Saint-Hilaire confessou que nunca provara creme de sabor tão delicado Um palmito, um aspargo, um escargot? Não, bichos de taquara, mariposas imaturas, desmanchando na boca.

E andamos por aí comendo jacarés, olhos de peixe, paca, tatu; cotia, não. Mas nem de longe somos campeões. Assisti a um documentário de dezoito horas sobre a China, e é até emocionante ver como aquela multidão come com gosto e prazer, tem língua curiosa, experimentadeira, olhos brilhantes, pauzinhos voando dentro da sopa à caça do mais gostoso, glurp, glurp. Bilhões de pastéis e trouxinhas recheadas num átimo de segundo e cozidas na água, no bafo.

A China inteira mastigando, desvendando as carnes mais recônditas... Mari Hirata nos traz do Japão gafanhotos caramelados, deliciosos, croc, croc. Levei para as merendeiras de todo o Brasil, que enfrentaram a estranheza com galhardia. Era preciso saber que nada de comível nos é obrigatoriamente estranho, é preciso provar.

E no dia em que fui ao *Programa do Jô*, ele, sabido, fez a pergunta que não se pode calar: se eu havia comido miolos de macaco na própria cabeça deles, semivivos, partidos como um coco. Pior que engolir sapo, não é?

Em Londres, um dos melhores restaurantes é o de Fergus Henderson, que escreveu o livro *Nose to Tail Eating*. No cardápio, sopa de orelha de porco, de tutano, salada de escargot, língua de boi, coração de vitelo gratinado, baço de porco, salada de orelha crocante, fígado de porco seco e salgado, pescoço de pato, miolo de cordeiro em terrine com torradas, pé de porco recheado, *gratin* de bucho, línguas e coração de cordeiro.

No outro dia, a família foi almoçar na Liberdade e me trouxe uma quentinha com duzentas línguas de pato cozidas. Todas para mim. Obrigada, sim, ou obrigada, não?

Lulas vivas no Japão, latas de miniabelhas. Baratas-d'água no Camboja, camelo na Somália, tarântulas como torresmos na Tailândia. Na Indonésia, libélulas sem asas, salgadas e fritas em óleo de coco, acompanhadas por geleia de pimenta...

Os Estados Unidos, sempre tão pragmáticos, têm uma fábrica nas costas da Califórnia que se especializa em doces com insetos. O mais vendido é o *cricket lick-it*, um grilo dentro de um pirulito transparente de creme de menta.

O chef Bourdain, alto e magriço, anda pelo mundo fazendo programas de TV e escrevendo sobre a comida dos outros, a exótica (aquela à qual não estamos acostumados), e literalmente come cobras e lagartos. Bom, nada mais do que a verdade, aos vencedores, as batatas, e aos perdedores só resta... engolir o sapo.

duas frutas

NA SEMANA PASSADA, fui vítima de duas pequenas coisas que me deixaram encantada. Há muito não sinto sedução por frutas como a que sentia antes. As da feira não são a mesma coisa, não me dão o mesmo prazer que as do pé. Dulce, minha filha, resolveu chamar uma dessas pequenas firmas que vendem produtos orgânicos. Já chamamos outras vezes, é bom, você recebe aquilo que existe e que está na época, tudo meio miúdo e enrustido, mas orgânico.

Nem notei muito a diferença, almoço no trabalho, mas chegando, à noite, fui capaz de ver as mangas. Eram daquelas que vulgarmente chamamos de coquinho, pequenas, mas completamente verdes. Ainda demos risada. Essas mangas só vão amadurecer daqui a um ano, verdes demais.

Na semana seguinte, minha filha me chamou a atenção para o fato de que ainda estavam verdes, mas macias, e que daria para comê-las assim. À noite, bateu uma fominha e fui experimentar. Nada de faca, uma mordida na ponta, a casca puxada com os dentes e a surpresa agradabilíssima. Há anos não comia nada tão bom.

Essa manga já é uma das mais deliciosas que existem. Só que tinha qualidades não suspeitadas. Sem fibras e encharcada de suco, escorrendo pelo queixo. Era, assim, o que podemos chamar de uma coisa muito gostosa, muito saborosa mesmo, de enlevar.

Daí deu-se comigo um comportamento muito semelhante ao da infância, que é o de comer o quanto se aguenta, que sempre levava a indigestões homéricas. E fui papando as manguinhas, cada uma melhor do que a outra, babando, aproveitando a sensação de gosto bom e fresco, e exatamente no ponto, como que fabricadas segundo a receita do maior cozinheiro do momento. Juro que é hora de dar graças, mesmo que seja coisa tão pequena.

Não dou todos os créditos à criação orgânica, quero conhecer essa mangueira, não pode estar longe, quero provar outras mangas dela, algumas maduras, outras semiverdes, e por fim cumprimentá-la por seu excepcional dom de cozinhar mangas como manda o figurino. Sabe, ter uma conversinha de comadres e trocar receitas.

E não foi só a manga que me surpreendeu. Minha nora Chang, chinesa, sempre traz para mim e para ela o que chama de olhos-de-dragão, ou pitombas. Era mais ou menos um vício de nós duas, pois a fruta não tem por onde se lhe pegue. Cacho seco, sem folhas, de bolinhas marrons, casca como madeira muito fina e caroço avantajado. A polpa semelhante à de uma jabuticaba ou lichia, mas quase nem existia. Transparente.

Pois não é que ela se transformou em fruta fina, o gosto igual, mas triplicado pela espessura da polpa? É quase uma lichia rústica. Daqueles frutos arquetípicos que você sente que conhece antes de provar, que nossos antepassados comeram no mato com casca e tudo.

Só quero imaginar o dia em que frutas e verduras tenham o gosto que Deus lhes deu, apesar de não entender nada disso; vai ver Deus nos deu todas encruadas e nós inventamos métodos para melhorá-las... De verdade, não sei.

içás

OS DIAS FRIOS E DE CÉU AZUL tão próprios de junho têm um cheiro de lenha queimada, de fósforos de cor, de estrelas e rojões. São cheiros que não vêm de lugar nenhum, estão no ar, misturados com guaco adocicado e invadem fundo o peito dos que andam pelas calçadas, de mãos nos bolsos.

Nesse clima de curau e canjica, li um livro — *A culinária tradicional do Vale do Paraíba*, de Paulo Camilher Florençano e Maria Morgado de Abreu — que descobri em anúncio despretensioso. Era preciso depositar uns reais a favor da Fundação Nacional do Tropeirismo. Não meço sacrifícios quando alguém resolve reacender a velha chama, um pequeno balão de tradições ou iluminar um pedaço de história já meio esquecido.

Fui ao banco (um transtorno) e dias depois já era cidadã do Vale. Quem sabe o que é um fogão de tucururuva, uma trempe, um fogão de chão, de taipa, de rabo ou de poial? Quando é que se come bagre ensopado e pirão de farinha de mandioca? Traíra e lambari fritos? Moqueca de peixe, paçoca de amendoim e pinhão cozido?

O livro — uma apostila de 372 páginas — tem descrições de utensílios, um grande receituário do Vale, as ervas e os legumes de nossas hortas, dietas de parturientes e ainda histórias de gente que faz o café da manhã deixando uma xicrinha já adoçada para são Benedito com as palavras: "São Benedito/ já foi cozinheiro/ agora é santinho/ do Deus verdadeiro".

Enrolada nos cobertores, sonhando com uma leitoa pururuca ou uma vaca atolada, foi me dando uma brasilidade feroz e uma fome dos diabos. Desci, peguei uma frigideira de ferro bem preta, pus dentro dela um pouco de feijão pronto de caldo grosso e, enquanto a coisa esquentava, caprichei na escolha de um cálice de cristal vermelho que enchi de boa pinga. Esmaguei no feijão duas pimentinhas do quintal, espalhei por cima uma leve aragem de boa farinha de mandioca branca e comi ali mesmo, de colher, na frigideira, entre lambadas de cachaça.

Esse ataque gourmet e gourmand foi inspirado nas comidas de Taubaté, uma espécie de exorcismo a todos os vitelos velhos, perdizes e faisões engelhados, salmões gordos e mansos dos bufês.

Para culminar, como única homenagem das gentes que escrevem livros e os editam sobre nossos costumes perdidos, tive desejo de bunda frita de içá. Bunda, palavra que estala na boca como torresmo, frita, que evoca crosta torrada. Bunda de içá frita, o caviar da gente taubateana.

ainda içás

NÃO ESTOU PECANDO SOZINHA. Muitas vezes ao se escrever um livro de crônicas ou de receitas o autor se torna obsessivo com um sentimento ou ingrediente que está tomando conta dele naquela hora. Já percebi que estou dentro de uma nuvem de içás, sabe-se lá o porquê. Mas, em boa companhia, a Marcella Hazan, que tem os melhores livros italianos, escreveu um com não sei quantas receitas de tupinambor. Quem sou eu para não me influenciar por tão ilustre companhia?

As pessoas sempre se atrasam e esquecem as árvores, os presépios e os enfeites de Natal por mais alguns dias, prolongando um pouco o sentimento de festa. Aposto que tem muito reizinho ainda caminhando em direção a grutas de papelão com ouro, incenso e mirra nos braços, enfeitando igrejas, lojas e casas.

E o Carlos Alberto Dória, sociólogo comilão, me mandou um trabalho feito pelo sogro, Miguel Angel Monné, professor de entomologia, e por Dante Martins Teixeira e Nelson Papavero (*Anais do Museu Paulista*, v. 16, n. 2, julho-dezembro de 2008), que me deixou deslumbrada pelo conteúdo e também por causa das fotos e gravuras. Não vou tentar nem de longe transcrever o trabalho. Só vou contar para vocês, assim, por cima.

Pois chegando aqui os jesuítas portugueses trouxeram suas mais caras figuras para os presépios, como a Mãe, o Menino, são José e os três Reis Magos, com certeza. E os brasileiros, claro, ficaram doidos com a ideia e começaram a juntar o que havia para completar a paisagem, que, às vezes, ocupava um quarto quase inteiro com lagos e cascatas. A fauna variava bastante.

Imagino. Aliás, já vi e contribuí com flores, cascas de ovos de nossas aves, pedras roliças, coquinhos, borboletas e vaga-lumes. Mas os autores são entomólogos e começaram a pesquisar quando leram uma reportagem, em 1962, de um repórter da *Folha* que achou em Embu (SP), num convento de freiras, uma lapinha que começava a ser montada por todo mundo em outubro e novembro, meses que coincidiam com a revoada nupcial das tanajuras e içás, que eram comidas fritas, com farofa, e de outros jeitos que apetecessem. Pois as tanajuras entraram nos presepes, e por que não? O mais sensacional eram suas inacreditáveis vestimentas. Representavam o povo que chegava para ver o Menino. Eram vestidas com roupinhas, toucados e xales de fino lavor.

Em São Paulo, essa ideia de vestir formigas virou indústria e, no fim do século XIX e começo do XX, as tanajuras passaram a ser vestidas com roupas da moda. Eram vendidas dentro de caixinhas com a inscrição na tampa: "Formigas tanajuras vestidas, Único depósito, São Paulo, Brasil, Casa Jules Martin".

Parece que esse artífice francês detestava ver as tanajuras vendidas pelas ruas, "tanajuras torradas", fazendo muito sucesso entre os gulosos paulistas, e resolveu vesti-las usando-as até como sátira.

Vejam o relato da roupinha de um formigão masculino: "Redingote de veludo azul-ferrete, um longo manto branco, botinas de cano alto de cetim verde-claro e um chapéu de plumas escarlates". Ao lado, a cônjuge formiga, sua companheira, com um "decotado vestido de cauda bem justa ao corpo, feito de cetim cor-de-rosa com frisos de ouro, cujas mangas, abertas de alto a baixo, permitiam descortinar os negros braços do inseto. Sob essa rica túnica via-se uma linda saia de cetim branco bordada a capricho com ouro em fio, enquanto a cabeça carregava um laço dourado em vez de chapéu, e os pés, quase cobertos pelos vestidos, estavam agasalhados numas botinas de salto a Luís XV com fivela e bico fino do último gosto. Em fim, ambas ostentavam muito luxo e chiquismo". Parece que a moda pegou em São Paulo (com os paulistas já saciados do seu caviar, como dizia Monteiro Lobato), a ponto de uma peça de teatro ter a heroína comentando que era fácil conhecer seus pretendentes pelos presentes que mandavam: "Os do Ceará mandam corrupios; os do Pará, redes, paus de guaraná e macacos-de-cheiro; os de Pernambuco, cajus secos e abacaxis; e os de São Paulo, formigas vestidas e figos em calda".

Quem não adoraria tanto comer uma sauvada frita quanto ganhar um cortejo delas vestido de dourado?

torresmo

SENTEI À MESA DO BUFÊ, bem perto da cozinha, já muito de indústria. Sabia que teríamos torresmo com caldinho de feijão na festa do dia. Perguntei, como quem não quer nada, se já estavam embalados. Ah, que pena, precisava experimentar. Foi Sueli que fez, ela sempre fez, mas agora deu para acertar invariavelmente cada um deles.

Há muitas espécies de torresmo, mas esses são daqueles que têm um pedaço pequeno de pele crocante, porém não dura. É só fazer pressão contra o dente e a gordurinha presa à pele se desmancha na boca. E não é modo de dizer, se desmancha como o algodão-doce se desmancha, como o biscoito de polvilho se desmancha.

É claro que Sueli vai lá abrir o pacote a vácuo enfileirado junto de outros dez, pega um copo de papel, enche a metade de torresmos e me dá. Uma prova um pouco exagerada. Começo a comer e não consigo parar. Vou jantar fora. Com esta quantidade de torresmo não vou aguentar.

Mas continuo, intrépida, não quero nem saber... Comida agora é veneno, e subitamente tenho a consciência de que não me suicidaria com Lorax 2, que também aprecio. Escolheria o torresmo, um saquinho daqueles, mais um, mais um, até o suspiro final, ainda não satisfeito, mas letal. Vergonha das vergonhas. Se pudesse escolher a morte, escolheria por torresmo da Sueli, lágrimas suaves de banha escorrendo pelo canto dos olhos.

Claro que sei que isso não é nem cozinha, nem gastronomia, nem prazer. É glutonaria. O que fazer, cada um com seus defeitos. Lembro bem que na infância tínhamos ataques como esse. Meu irmão se escondeu atrás do sofá para comer um quilo de amendoins crus. Eu comi empadinhas feitas por minha mãe até me enjoar delas por anos a fio. De certo modo é confortável, o pecado da gula nos afasta imediatamente do desejo da coisa amada, o que não acontece com os outros pecados da vida.

Conversei com a Sueli. Ela não encomenda mais a gordura da barriga, e sim do lombo, em pedaços iguais, não muito grandes, e põe na panela. Vai mexendo, vai mexendo, vai mexendo e pronto. Que belíssima e sofisticada receita!

Meninos do vinho, entendedores que harmonizam até quadros de artistas clássicos com a bebida exata, na sua cor, na sua safra, amigos do vinho e meus amigos, o que posso tomar com torresmo para que ele se sinta prestigiado, elevado a iguaria?

Um restaurante amigo comemorou o Ano-Novo distribuindo aos clientes sanduíches de pernil. Ao morder, sentia-se a inclusão de torresminhos, o que faz inesquecíveis o sanduíche e o restaurante.

E o porco nem é essa coisa gorda e lúbrica que muitos imaginam. Mais vale um porco do que uma galinha magrela. Tem vitaminas insuspeitadas, gorduras boas, aquelas que acabam com o colesterol ruim.

Ah, malditos, até eu estou aqui medicalizando o porco. Não merece. Já inseriram genes de espinafre nele, mas não nos preocupemos: o porco é um sábio manso, já terá se desvencilhado do espinafre, esse terror da infância.

Desaforo, senhores estudiosos, vão juntar genes de espinafre aos óvulos das senhoras suas mãezinhas. Deixem em paz o porco, esse poema.

doce de jaracatiá

ENQUANTO ESPERO UM ITA para o Norte, o próprio Norte, o Nordeste e o Sudeste, de cambulhada, me alcançaram no largo da Batata, em Pinheiros. Ingênua dos seus tesouros, atravessei o largo para pegar um táxi e caí de boca na safra do pequi espalhada no chão, aos montes.

Não reconheci de imediato. São como uns abacates pequenos, de casca dura, amarfanhados. Mas um, aberto ao meio, mostrava sua semente da cor de gema de ovo caipira ou de açafrão. O cheiro é inconfundível, entre manga e bicho no cio. Comprei uns trinta, mais ou menos.

"Umbu, umbu para umbuzada, um real o saco!" "Tira a semente, bate com leite. Fica uma coalhada, uma vitamina e tanto, dona." Já dentro do táxi, arrematei o fundo de uma saca de feijão de corda.

Cheguei em casa encalorada, carregada de pacotes, já arrependida da voracidade compulsiva. A empregada nova, novíssima de duas semanas, vinda de Capelinha, Minas Gerais, me encarou com a mesma serenidade com que enfrentou o aspirador. Para ela, nada mais normal do que aquela compra. Umbu não conhecia, mas veio para São Paulo a fim do desconhecido, e um arroz de pequi era a segurança, Capelinha de volta, o mato, o ribeirão.

Foi cortando os frutos ao meio, lavando os caroços comestíveis, e pondo numa panela para refogar junto com o arroz. Parece que notou meu respeito curioso e soltou uns causos.

"Pequi dá no campo. Eu adorava catar, mas não podia ir sempre porque ficava com as pernas todas cheias de broto, esfoladas de capim-navalha. Tem uma mulher lá que agora, a essa hora, deve tá maluca pegando pequi pra fazer óleo. Mas ela pega é muito, carga mesmo, e vai juntando. Aí cozinha na água e depois escorre. Põe aquele pequi no pilão e vai socando devagar, com jeito, pra soltar a massa, sem romper o caroço espinhento por dentro. Aí, ela pega a massa e vai pros tachos, no fogão de lenha. Fica lá até secar a água todinha. Só sobra o óleo, ela põe no vidro e vende. A gente come de molho, em cima do feijão, do arroz, de um ensopadinho de abóbora..."

Àquela altura o arroz dela estava solto, amarelado, com as frutinhas enterradas nele. Perguntei se era para tirar os pequis ou deixar. "É sim, é não. Se quiser roer os caroços, não tira, não."

O feijão foi debulhado e cozido em vinte minutos e refogado na manteiga, com um pouco de farinha de mandioca. "Xi! Este feijão é bom, mas difícil de colher. Plantam ele na mesma cova do milho, e naquele calorão andar pelo milharal catando as vagens é fogo."

O almoço foi regado a refresco de umbu, porque coalhada era demais. A família comportou-se bem. Gostou do feijão, achou o umbu com cheiro de mato, e o pequi foi palidamente classificado como um gosto a ser adquirido. Posso ter concordado, mas amei na hora que provei pela primeira vez. Foi um gosto adquirido à primeira prova. Acho que depois de adquirido é melhor que o açafrão. Vou comprar toda a safra de pequi do largo da Batata, como a maluca de Capelinha, e colocar em vidros de óleo para preservar.

Nesse afã de *brasilidad* saí lucrando. Ganhei seis mangas ubá e quatro mangas coquinho. Provei um doce de jaracatiá, doce de mamãozinho do mato, gostoso para comer às colheradas com queijo fresco. O povo reclama quando esse doce não aparece na folia de reis. Isto é, reclamam lá em São Sebastião do Paraíso, de onde o doce veio. No resto do mundo, não sei...

figo

NA SEMANA PASSADA, li uma boa matéria na *Folha* de Ana Paula Carradini. O título: "Figo da Palestina redefine data inicial da agricultura". E o subtítulo: "Árvore foi domesticada há 11,4 mil anos, quase um milênio antes do trigo e da cevada".

Não sei por que aquela figueira velhíssima me bateu nas entranhas, tive saudade dela. Gente é mesmo uma raça sem-vergonha, vive pelos cantos se queixando da vida, procurando pelo em ovo, quando tem todos os frutos proibidos e permitidos ao alcance da mão. Nada mais nos assombra, e uma árvore carregada de frutos é certamente manifestação de algum mistério.

Com o artigo sobre a figueira tive um breve momento de lucidez e fui logo aos dicionários... *Ficus, Ficus carica*, provavelmente encontrado no Éden. Ou silvestres, na Arábia. Brotam onde alguém cospe uma semente, principalmente entre duas pedras, adoram nascer entre elas. São parentes da fruta-pão (por esta ninguém esperava). Crescem melhor nos países das amêndoas, das oliveiras, das laranjas. Não são frutas como as outras — as flores estão dentro da fruta.

Muito mais gostosos se amadurecem no pé e se são comidos logo depois de apanhados, ainda mornos de sol. Na maioria dos países mediterrâneos é tradição que aquele que passa pode colher um figo de uma árvore que não é sua, mas nada de sacolas. A folha de louro que se vê numa caixa de figos secos de Esmirna evita o gorgulho. Ou o caruncho? Bem, evita que estraguem. E podem ser recheados com nozes ou ricota de cabra...

Mas voltemos ao artigo da *Folha*, ao figo de 11 mil anos que me deu a nostalgia da figueira. Antes era difícil descobrir nas escavações figos tão velhos, porque os restos de comida são pequenos demais e passam batidos. Mas, agora, são submetidos à flotação. O que quer dizer, acho, que a terra é posta na água e os carvõezinhos boiam. E há especialistas em carvão arqueológico, os antrocólogos, que acabam descobrindo figos antiquíssimos (cada vez mais antigos, conforme melhora a antrocologia), e vão assim empurrando para trás os primórdios da agricultura.

Fiquei imaginando que, se lerdos para perceber o milagre do figo, os homens são rápidos nas invenções de como comer a fruta. Fui procurar receitas na porta da geladeira de 11 mil anos e comecei por um livro persa. A primeira coisa de que trata é das qualidades de frio ou quente das frutas (o que não tem nada a ver com sua temperatura), de suma importância para o equilíbrio das refeições e controle de doenças, pois pessoas de temperamento frio devem comer alimentos quentes e vice-versa. Mas me lembrei de um trecho de Pedro Nava, em *Balão cativo*, quando ele fala da Justina, preta velha, cozinheira mágica.

"Era também frequentemente consultada pelas patroas sobre a natureza 'quente' ou 'fria' do que se ia comer — para não assanhar as entranhas ou encher a pele de urticária e de espinhas. Justina, mamão é quente ou frio? Que mamão, sinhá? Esses amarelos, aí da chácara, comidos maduros, são frios, apanhados verdes pra fazer doce são quentes. Agora, mamão vermelho, esses que chamam de baiano e que tem na casa dos Gonçalves, é sempre quente. Laranja seleta era quente. Laranja serra d'água era fria. Jaca, abacate, manga, cajá-açu, cabeluda, araçá, grumixama, jatobá — quente. Abóbora — quente. Lima, carambola, cajá-mirim, chuchu, abobrinha — frio. Coco? Depende. A água do verde é fria, a do seco, quente. Já o miolo mole ou maduro é sempre quente. Carne de porco, quente. De galinha, o peito, frio; a coxa, quente. Tanajura? Isto é o que há de mais quente, advertira ela ao Antonico Horta um dia em que o vira estalando a bunda dos formigões na gordura para comer que nem pipoca."

Vou ter que parar a citação por aí, me perdoem Galeno e Hipócrates, muito interessantes estas tradições, mas, acreditem, o livro persa diz que figo é quente, vê lá se pode; eu poderia jurar que era frio, tem a maior cara de.

porco

OS PORCOS SEMPRE ESTIVERAM em evidência, inclusive na mídia. Quem não se lembra da perseverança dos três porquinhos contra o lobo, dos porcos corruptos de Orwell, da Miss Piggy e de Babe, o porco pastor?

Os jornais londrinos deram página inteira a dois leitões que fugiram do matadouro perto do rio Avon. E foi pelo rio que tomaram distância de seus perseguidores, nadando, arfantes, os pequenos focinhos fora d'água. Confusos, sem rumo, foram se aproximando da casa de campo do príncipe Charles. Foi então que toda a Inglaterra se solidarizou com eles.

"Dá-lhes, leitões!", gritava a torcida contra os helicópteros e cães farejadores. Apareceram logo milhares de ofertas de abrigos, de refúgios de liberdade, de sociedades protetoras de animais.

Agora, convenhamos, fora dos jornais, no dia a dia do churrasco, do lombinho com farofa, todos já percebemos que não se fazem porcos como antigamente. Estão ruins. Tiraram a gordura em nome da saúde do consumidor, mas o único que emagreceu foi o porco. Arrancaram dele seus veios de mármore de banha e foram-se embora o sabor e a suculência. Assa-se um lombo e ele é uma ode à sola de sapato chaplinesca. O novo porco é ruim.

São cruzados para nascerem esbeltos como top models. Comem o que não lhes apetece. São confinados em galpões fétidos sem janelas e com ventiladores. Estressam-se no transporte e na hora da morte, amém.

Um pesquisador sueco condoeu-se dos porcos e quis levá-los de volta (com todas as preocupações científicas de rigor e de saúde dos animais) ao mato para ver como se comportavam na terra de seus ancestrais. Descobriu que seus instintos estavam intactos. Corriam, brincavam, descolavam sua própria comida, construíam seus ninhos forrados de capim. Tinham certa *nostalgie de la boue*, isto é, continuavam gostando de lama, pois não suam pela pele e precisam refrescar o corpo a toda hora. Moral da história: comportaram-se porcinamente bem.

Os que cuidavam deles também melhoraram de saúde e de humor ao se verem ao ar livre. Porco feliz, carne boa, criador feliz, consumidor feliz, raciocinaram. Começaram a utilizar tudo o que fora aprendido de novas técnicas, só que junto da natureza. Quanto às normas dietéticas de saúde, optaram por um slogan: "Comam menos, mas comam bem".

Há experiências de todos os tipos. No fim dos anos 80, os barrigudos porcos vietnamitas entraram em moda na Califórnia e na Inglaterra como bichinhos de estimação. Eram chamados de porcos de bolso e faziam até jogging com os donos. Acontece que os donos esqueceram que seus bebês inevitavelmente chegariam a quinhentos quilos. Não tinham modos à mesa e fuçavam trufas sob os guardanapos e toalhas de linho. Não funcionavam como pets convencionais. Muito gordos e cheios de ideias.

A quem culpar pela má qualidade do porco? Prendam os culpados de sempre. A produção em larga escala quer qualidade mediana e preço mediano para alcançar o maior mercado possível. É a busca do lucro máximo no curto prazo. O porco é só um produto a mais.

O porco não é só um produto a mais, no entanto. É uma obra de arte inventada por um deus guloso, uma divina construção, um clássico, um raro, um único. Nosso porco primordial está sendo editado, cortado, sujeito a efeitos especiais, globalizado, vitimizado pelo marketing, pelos interesses individuais do comércio.

Não existem resistências culturais fundadas na defesa de obras universais (como o porco)? Museus, cinematecas, pinacotecas, *cahiers*? Como se salvaram os Da Vincis e os Picassos e os Michelangelos? Como se salvar esta obra de arte única que é o porco?

Deve haver um jeito. Uma política de investimentos econômicos nos pequenos produtores e seus produtos de qualidade. A formação de mercados de fazendeiros, como vi no próprio coração de Nova York, onde o criador fica cara a cara, focinho a focinho com o consumidor. Ouve as críticas sobre sua obra de arte, sobre seu porco saudável, gorducho. Não dá conta dos pedidos dos bons restaurantes discípulos de Alice Waters, a dona do Chez Panisse.

Os supermercados poderosos começam a ver lucro nesse porco bom e o entronizam num nicho, um pouco mais caro, é claro, mas com um sorriso de porco feliz nas etiquetas das embalagens.

Que "Dá-lhes, leitão" seja nosso grito de guerra.

sangue

POUCOS GOSTAM DE SANGUE. Os próprios deuses não devem achá-lo um manjar, porque nunca se ouviu dizer que tivessem tocado nas bacias de sangue que piamente lhes ofertamos através dos tempos. Inocente pergunta: por quê? O gosto é suave, quase neutro, lembra um pouco o fígado.

É o que está por trás, a ideia de sangue é que incomoda. O Popeye, por exemplo. Se, em vez de comer seu espinafre, virasse de um gole uma latinha de sangue rubro, com teor muito mais alto de proteínas e ferro, seria exilado para a sessão de terror à meia-noite.

Agora, tem gente que não dispensa seu sanguezinho. A essência! É preciso certo cuidado. Uma população nômade, os massais, tinha dois problemas: media o status pelo número de reses do rebanho e temia que a alma dos animais se fosse com o sangue. Acharam uma solução brilhante para esses problemas e para o excesso de bagagem nas suas longas viagens: alimentavam-se sangrando suas bem nutridas vacas e tirando-lhes quatro litros de sangue da jugular a cada duas semanas.

No século XIII, o inevitável Marco Polo viu que os mongóis obtinham comida sem prepará-la e sem fogueiras. Um pequeno furo no pescoço do cavalo e glupt, glupt. Os judeus, os primeiros cristãos e o islã proibiram a ingestão do sangue, mas quem obedeceu? Os nórdicos achavam uma pena perder a alma dos animais, queriam é compartilhá-la, e nem com a introdução do cristianismo largaram seus pratos tradicionais feitos com sangue.

Os franceses continuaram agarrados ao *boudin noir* e ao *civets*, e os irlandeses elevaram o *drisheen* à categoria de comida de restaurante três estrelas.

No Extremo Oriente vende-se sangue coagulado nas feiras para engrossar sopas. Em outros lugares, ele é conservado em camadas, com sal, e vendido em tabletes. A Inglaterra vende *black pudding* de metro! Não é preciso ser um Drácula para encontrar na Suécia e na Finlândia uma mistura pronta para panquecas feita com sangue, e o *paltbread*, pão preto que também leva esse ingrediente, jamais falta nas boas casas do ramo.

No Brasil é bom não esquecer que ao abrir os olhos para a civilização já comemos o bispo Sardinha ao natural, salivando, sem nem ao menos um acompanhamento de favas e um belo Chianti. Nas eleições, o prato preferido é a buchada. A galinha ao molho pardo ou de cabidela tem lá sua vez. E quem precisa de um Drácula quando se tem o chupa-cabra?

jaca

NÃO SEI DIREITO o que é uma jaca. Um rinoceronte, um elefante que virou fruta? Em todo caso, está na cara que veio de longe, do tempo em que tudo era grande e forte e não era costume temer a morte. Tem cem anos de solidão.

A jaca contém perigos. Seu peso mata, seu cheiro pós-maduro mata, jaca com leite mata. Muita jaca mata, mesmo sem leite. É exagerada sem ser vulgar. Se fosse vulgar, ao amadurecer, se encheria de vermelhos e rosas e alaranjados, mas não. Fica firme nas cores de monja dourada. Seria exagero dizer que a jaca usa sandálias Birkenstock?

É, acho que seria.

Coleciono livros de ingleses na Índia e sempre imagino uma inglesinha chegando à sua casa nova, de chapéu de aba, muita saia e um pote de sais para o banho na bagagem. Na varanda de bambu, alguém, para agradar, botou numa gamela trançada umas jacas de luxo.

Pronto. Mais nada é preciso. A inglesa vê, sente e entende a jaca e não há que se abalar pelos campos, templos, macacos e pintas na testa para saber o que é a Índia. Está ali, sintetizada nos gomos da fruta, dando medo e certa alegria desconhecida e plena. Uma inglesa que viu a jaca nunca mais será a mesma.

Não se sabe se a jaca é do bem ou do mal, do dia ou da noite. Pode ser os dois. Abre-se esplendorosa, só falta cantar para a fome do menino e pesa como uma tonelada de náusea no luto de uma mulher.

A jaca é a orquídea das frutas e está na moda. Começou a ser vista nas feiras e supermercados quando um sábio comerciante percebeu que sua realidade é excessiva. Ninguém compra uma jaca. Pode ganhar uma em uma ilha do litoral e ter de ir nadando com ela até o barco, pode tudo, menos comprar e levar para casa uma jaca viva.

Mesmo na feira ela não fazia bonito em manhãs claras com cheiro de pastel e garapa no ar, sacolas, bobes na cabeça, não, definitivamente a jaca não orna com quase nada; a jaca combina-se com muita dificuldade.

O comerciante fez o que era preciso. Domou a bicha. Arrancou sua pele de crocodilo, tirou os caroços com delicadeza para não magoar a polpa macia e carnuda, eliminou a gosma que une os gomos e congelou-a em bandejinhas. E há receitas de jaca de todos os feitios. Prefiro pegar a jaca já limpa na feira e congelar. Como é muito doce, não congela, vira um sorvete, uma musse, sobremesa dos deuses antigos e fortes...

romã

UMA LEITORA COMPROU, num impulso, melaço de romã e me escreveu para saber o que era e para que servia. Comecei a perguntar a amigos, e eles me vinham com notícias de romãs, mas nada de melaço. O Donizete, que é poeta, respondeu por e-mail:

Aqui em casa a árvore deu umas seis, enormes, que foram inchando e explodiram. Comer aqueles grumos, ir desentranhando da casca, é um grande prazer. Principalmente sugar aquele sangue rubi que as sementes soltam. Não é que a Ana tirou todo o erotismo da fruta, arrancou todas as sementes e trouxe em um prato para comer com colher? Aí perto da Abril e do seu Gourmet Space, como dizem, tem aquelas romãzeiras antigas que ficam carregadas. Há uma no sobradinho da rua Sumidouro que quase não se aguenta de tantas romãs. E pensar que tudo isso vai ser derrubado e virar apartamento com nome estrangeiro. Adeus, pés de camélias grandes e com muitas flores, manacás e romãzeiras. Teremos só aqueles jardins de design. Uma palmeira, uma graminha, aquela coisa horrorosa que chamam de "projeto paisagístico".

Então, "melaço" o Donizete dizia que não conhecia, mas que também queria ter um vidro da coisa, ia fazer refrescos ou bebidas ou não ia fazer nada, só queria, como a leitora, ter um vidro inútil de melaço. Para falar a verdade, eu também estava doida de desejo. E acabei tendo de perguntar a ela onde havia comprado tal inutilidade. No Pão de Açúcar, respondeu, sem fazer segredo, e eu agora tenho que retribuir a gentileza e descobrir para que serve a essência da romã.

Os israelitas no deserto tinham saudade da fruta refrescante, e Moisés garantiu que a veriam de novo: "A terra do trigo e da cevada, de vides, figueiras e romãzeiras, terra de oliveiras, abundante de azeite e mel". Bonito, mas ainda inútil, ora. Em livros mais modernos, porém, achei. Usam para o *faisinjan*, que é pato ou frango em molho de romã. (Xi, lembrei que a leitora é vegetariana radical, quem mandou comprar o que lhe passou na frente?) É um pato em pedaços que se doura em panela com cebolas cortadas. Junta-se 250 gramas de nozes picadas grosseiramente, três colheres (chá) de melaço, água farta, sal e pimenta-do-reino. Cozinha-se por uma hora e meia, mais ou menos, ou até o pato ficar macio, e ajusta-se o tempero, mais açúcar ou mais limão. Tira-se toda a gordura da superfície.

O melaço é uma essência da fruta, não é uma coisa doce e enjoativa como o nome faz pensar. Também é muito bom em vinagretes, dona vegetariana. E com legumes cozidos, como espinafre, abobrinha ou berinjela. O melhor de tudo, a novidade, é comer esse vinagrete de melaço com ostras frescas, mas cuidado: é só uma colherinha de chá do melaço e um pouco de cebolinha, alho, limão, cubinhos de tomate, sal e pimenta-do-reino. Misture tudo, menos as ostras. Um pouquinho sobre cada ostra e *yessss*! Ah, e pode fazer manteiga de melaço. É só misturar com a manteiga sem sal e fica boa em tudo o que é grelhado. E pode também passar debaixo da pele de uma galinha antes de assar.

E o suco da romã vai bem com gim; estou falando do suco da romã fresca, mas por que não experimentar com esse melaço? O problema é que o suco da romã solta muito tanino e fica amargo. Junte um pouco de gelatina dissolvida; ela reage com o tanino e forma um composto insolúvel que pode ser coado. A bebida tem o nome de Especial Stobart.

Oi, leitora, você bebe? Se não bebe, faça uma salada de azeitonas pretas, nozes, salsa, cebolinha, tudo picado com um pouco — cuidado, um pouco — do melaço, e o contraste é incrível. Vai bem com melão fresco, será? Humm... só provando. E dá o maior tchã a um peixe assado.

Estamos quites, leitora? Saúde! Com uma taça de gim e — lembre-se — um nada de melaço de romã.

banana

DOIS E-MAILS DE CONVITE na semana. Um, de umas moçoilas bonitas, que tenho encontrado muito em reuniões. São simpáticas, a fama é que cozinham muito bem, qualquer dia vou lá experimentar, mas quero morrer ou matar com o texto que elas usam para nos chamar.

Meninas, menos... Já estamos há tempos sobre duas pernas e vocês querem nos botar de quatro! Olhem só o romantismo do cardápio delas: escondidinhos de casca de banana da comunidade (como é que é isso, a comunidade come a banana e dá as cascas para vocês esconderem?). Arroz integral, escarolas preservadas. Barrinha de cereais com geleia de capim (epa, é preciso me preparar muito para pastar, não é assim, deixando cair despretensiosamente o capim no e-mail que vão me fisgar). Canapés de brotos conscientes sobre cama de folhas (não, não quero brotos conscientes, que morram dopados). Cascas de banana à parmegiana (sempre fico pensando em todas essas cascas que as nutricionistas querem que a gente coma. Eu como, se for bom eu como, mas posso comer a banana também? A batata, a melancia, a beterraba? Como antes ou depois da casca? Se não como, para quem vão essas polpas? Sempre preferiria estar nesse extremo da recepção). Miniabobrinhas responsáveis recheadas com brotos de bambu orgânicos, verdes e sustentáveis (detesto abobrinha, de nascença; uma abobrinha responsável, então, deve ser um caso à parte, uma freakona nerd, consciente do seu frescor e sustentabilidade, va-t-en

Satan!). Tapioca de talo de agrião certificado (não que não goste de talo, como agrião com talo, quem não come? Mas talo de agrião certificado? Quem é certificado, o agrião ou o talo? Pelo amor de Deus, não me tirem o sabor da comida, encham minha sopa de cascas, mas não me contem. E, se comermos tudo isso agora, o que vamos comer na guerra, na crise, na fome?). Salada colorida com vinagrete de talos, musse de casca de abacaxi (eu me retrato, sim, meninas, prometo. No dia que comer musse de casca de abacaxi e gostar, eu me retrato. Deve ser melhor que musse, que já tem uma consistência de que não gosto, feita com a própria fruta. A casca deve dar um tchã áspero, talvez melhore aquele nham-nham da musse, mas...). Lasanha verde com passeata de legumes (passeata de que jeito? Tipo panelão, com banners, legumes nus ou topless contra a química? Interessante). Outra vez, no menu, tapioca de talos de agrião certificados (eles vêm com o certificado amarrado na perninha?). Salpicão biodiverso de cascas e cores. Farofeco (até a farofa, pecado. Rimem farofa com frigideira, efes fricativos, frisada, frita, fritada, frugal, fúlvida, fundamental, fundadora, mas farofeco, que degradação substantiva!).

No outro e-mail, fui convidada para uma feijoada, feijoada e só, aniversário de feijoada, que é a única coisa que pode desbancar um pouco a aniversariante. Você recebe o convite e, antes de saber se pode ir ou não, já começa a salivar um pouco, repetir a palavra no inconsciente. Feijoada, sábado tem feijoada, e como Dom Ratão já sente os eflúvios da panela de feijão, enxerga a feijoada, profunda, lúgubre, o paio, a linguiça, quiçá o rabo, a costela, talvez a orelhinha, barroca, feijoada, barroca, exagerada, feijoada.

Posso afiançar que a couve não era certificada, nem a farinha sustentável, nem o rabo consciente, nem a caipirinha orgânica. Até poderiam ser, mas não tinham esse discurso que mata a vontade de comer. Era simplesmente uma feijoada, um monte de felicidade calma, um negro prazer amalgamado com pimenta e farofeco.

negócios

festas

UM DIA DEVERÍAMOS escrever a história dos bufês de São Paulo.

Quando começamos o bufê Ginger há 28 anos, já deveriam existir centenas deles, mas na classe média alta, seja lá o que isso significa, havia poucos. A maioria com seus próprios salões, como o França. E, fazendo a festa em casa, a mais recente era a Gladys, que se seguira à Francisca. Pouquíssimo se pensava em inauguração de lojas, de butiques. Festa era coisa de datas como casamento, aniversários.

Mas mal abrimos começaram a pipocar festas. Foi bom. Acho que inauguramos todos os shoppings de São Paulo e alguns do interior, todas as lojas da Oscar Freire. Vimos a Maria Bonita crescer, comemoramos coleções da Huis Clos, da Vila Romana. O Sig Bergamin acabava uma obra e nos recomendava para a festa. Os almoços da Formatex ficaram famosos. Tínhamos fama de criativos e inventamos um bocado nessa época.

Não dava para pensar muito ou filosofar. Cada shopping rasgava o tecido do pequeno comércio do bairro, de pais passando para filhos, de vizinhos que se conheciam havia décadas e que formavam um núcleo de sapateiros, vendedores de pregos, consertadores de bolsas, pregadores de botão, cerzidores, fabricantes de biquínis, óticas, mercadinhos, costureiras.

Era o progresso. As famílias iam às inaugurações orgulhosas de se ver em lugares tão suntuosos. E levavam para casa em cones feitos de guardanapos as comidinhas do bufê. Tão diferente, substituíam nos anos 80 as coxinhas de galinha e as empadinhas de costume. Tremendo retrocesso, nada poderia substituir uma coxinha ou empadinha bem-feita, coisa brasileira a ser tombada com carinho.

Valia tudo o que fosse inventado e fosse leve e bonito. Era a *nouvelle cuisine* chegando aos Tristes Trópicos uns dez anos depois do sr. Bocuse. O negócio dos bufês foi interessante, lucrativo, mas como cozinha propriamente dita não enchia de alegria. Cada dia numa casa, como um caracol, carregando sua cozinha, trazendo-a de volta, e filosofando sobre como a festa poderia ter sido melhor, não fossem os inconvenientes. Cozinhar em bufê é ter limitações quase insuperáveis. Mas faz subir a adrenalina e traz grandes amigos. O que tem seu lado ruim. Há coisa pior do que errar alguma coisa numa festa de noiva que se fez querida? Há uma exigência de perfeição dentro do próprio bufê, e as condições não são lá as melhores para a perfeição. Resolvi colocar aqui os bastidores dos bufês. Pelo menos, rimos um pouco.

Infelizmente sempre tive um problema que é a estética das grandes festas. Não gosto. Não gosto das roupas, ai, as roupas! É preciso ser rico como o Bill Gates ou pobre como Jó para a roupa ficar bonita. Mas entendo. É hora de festejar, dá vontade de brilhar um pouco.

bufê

E COMEÇAMOS O BUFÊ, duas mulheres com síndrome de *Cenicientas*, diria minha sócia chilena. De gatas borralheiras passamos a Cinderelas, pois existiam pouquíssimos bufês que iam em casa, sem ter um salão próprio. Aliás, nem começamos como bufê, seria muita coragem. Minha cunhada, Maria Helena Guimarães, era sócia, e ela e meu irmão Arthur estavam começando o restaurante America. Haviam chegado havia algum tempo de Londres e já tinham aberto o Sanduíche, depois o Radar Tantan e o Ritz. Só bem depois viria o Spot. Nós, o bufê Ginger, faríamos os bolos de chocolate para o novo restaurante. Assim começamos, e um dia o próprio America abriu uma cozinha central. Não precisavam mais de nós.

Alguém nos pediu um pequeno jantar para oito pessoas, de oito a dezesseis foi um pulo, em dois anos havíamos chegado a mil. Porta dos fundos, muito riso e pouco siso. Eram os anos 80, *nouvelle cuisine*, uma tontura gastronômica no ar. Não é todo dia que aparece uma revolução culinária. Ninguém mais comia porque tinha fome. Estávamos na era do happening, do acontecimento. As festas, que já haviam sido desculpas para comer à tripa forra, começaram a se transformar em eventos temáticos. Não era preciso cozinhar, inventar era preciso.

No começo foi um desafio, um deslumbramento. A estilista fulana de tal queria uma festa em que a comida fosse preta e branca. Alguém precisava de uma massa estampada com rosas. O que todos exigiam era que a comida fosse original, jamais vista.

Recebíamos os temas das coleções e lançamentos. Quanto mais fluidos, melhor, para englobar todas as tendências. Dou exemplos: Diapasão, Cornucópias, Fusão, Convergência, Esplendor.

E os cozinheiros de olho parado, imaginando a galinha evanescente, a sardinha esplendorosa, o porco lúdico, a vitela luzes da ribalta. Não se falava ainda em Ferran Adrià, que morreria de felicidade ao poder alimentar noivas com espumas e azeitonas, desconstruídas, com flores de escamas. A loucura cabia a nós mesmos.

Não existiam também as promotoras de grandes marcas, aquelas que hoje recebem ordens da casa central e devem ganhar muito bem, pois não podem arredar o pé de uma festa já pensada, cores escolhidas, comida milimetrada, fotos com referências, louça fotografada de frente e dos lados, tudo pronto e inventado por alguém que cuida da identidade da marca.

Corria tudo por nossa conta, e as promotoras, se as havia, eram tão novas e cruas quanto nós. Tínhamos a maior liberdade para sermos criativos, mas entendo bem o que deve ter acontecido. Algum dia Dior deve ter caído em alguma festa de acarajés, a Vuitton em pirulitos de açaí, e as marcas acharam que estavam indo muito depressa com a louça, estragando os conceitos e as identidades perseguidos a duras penas. Começamos a prestar uma atenção ávida no produto com o qual deveríamos nos fundir em simbiose perfeita. A coleção de inverno Boom, que requeria *amuses-gueules* Boom, Banners Boom, música Boom.

A bem da verdade, nada mais víamos nas passarelas do que uma mesmice de jaquetinhas de couro, saias de pregas, rodadas, *chemisiers*, cintos e bolsas e para finalizar um vestido de noiva que tinha escaneado no véu uma explosão em negro. Boom... Em matéria de joias, de móveis, sempre a mesma coisa. Entendemos imediatamente o que era Boom, e começamos a praticar a culinária Boom com nossos velhos frangos, vitelas, arrozes, favas, todos devidamente maquiados para a ocasião.

As coisas se complicaram um pouco quando os clientes começaram a ficar insatisfeitos com os espaços. As casas e lojas já não impactavam. Era preciso fazer uma tenda marroquina no vizinho. E lá íamos nós, arrastando nossas galinhas exaustas, nossos fogões capengas, para a Fábrica, o Circo, o Matadouro, o Moinho, o Mercado, a Ilha Deserta, o Museu de Cera, o Hotel no Meio do Rio, Porões, Telhados, Corredores de Plateia, Todos os Palcos, Estações de Trem e de Metrô, só nos faltaram os Esgotos de Paris. Sem esquecer a Bolha Inflável com capacidade para mil pessoas, ah, a Bolha Inflável deu trabalho!

O mais difícil, porém, foi a moda da comida Tamara de Lempicka, peripatética, que se desenrolava em vários níveis do espaço, seguindo o esquema da peça em voga, que também descia e subia espaços, com a plateia atrás dos artistas.

Pesadelo também era estar no Mercado e ter de transformá-lo em Ópera ou na Ópera e transformá-la em Mercado, quando era tão simples fazer a festa já no lugar mais adequado ao produto. A festa, não. O evento. Foi nessa época que surgiu a palavra que nunca mais nos deixou.

Para que se tenha uma ideia, a secretária nova, a quem nada espantava, digitou um cardápio a ser dado de presente a um produtor da Globo, que nos incluíra numa novela sua. Lembro que a Gloria Menezes pegava o telefone e ligava para mim (na novela) pedindo velas de marzipã. E não foi num dia só, foram uns três. Ainda não deveria existir o departamento de marketing na Globo, pois o preço de tal propaganda, se cobrada, nos levaria à falência imediata. "Nina, precisamos de umas velas de marzipã para o casamento!" Foi uma enxurrada de pedidos, só que nem nós nem as clientes sabíamos o que eram velas de marzipã. Pena.

Quisemos retribuir com uma pequena gentileza ao produtor com um pequeno jantar para dez amigos, no máximo uma comidinha simples, dentro de nossas possibilidades. Revendo o menu no papel, distraídas, vimos depois da descrição do cardápio um adendo batido pela secretária que jamais se espantava. "Bares com garçons performáticos em pernas de pau: cabelos curtos pintados de dourado, avental cor de sangue de boi e alpinistas acrobatas subindo pelas paredes de vidro do prédio." Misturou dois eventos. Juro por tudo que é mais sagrado. Já imaginaram qual seria o susto do presenteado que não esperava mais do que uma carne com farofa?

Parece mentira, mas não é. A França, com toda a sua tradição de arte e comida, entrou na onda. A Fundação Cartier fez exibições de arte comestível. Centenas de pessoas faziam fila para os laboratórios de comida. Enquanto comiam batatas, refletiam sobre a fome no mundo com fundo musical de mastigação.

Uma das sessões teve o convite impresso numa hóstia comestível. Na festa pegavam-se legumes amarrados com barbantes que eram puxados pelos convidados sobre um tapete de guacamole espalhado em plástico. Espero que vocês acreditem, pois se eu fosse capaz de inventar uma coisa assim...

Nos bufês de Nova York não havia mais o que inventar. A última tinha sido um garçom todo cheio de furos no uniforme de onde saiam espetos com a comida. Nas mãos segurava a vasilha com a pasta na qual os convidados passavam os espetos.

Enfrentámos essa criatividade com galhardia, prazer e até com graça. Às vezes cansados, cambaleando de novidade em novidade, com a cabeça inchada de arquétipos, logos, origamis, papel machê, vidros, cerâmica. Olhávamos para trás e chegávamos à conclusão de que tudo bem. A primeira festa, muito louca, deve ter sido, com certeza, a da Arca de Noé.

produção

AS FESTAS FORAM AUMENTANDO e foi ficando difícil capitanear e inventar novidades para todas elas. Tivemos sempre dificuldade para conseguir auxiliares que tivessem nosso olhar, criativo mas muito despojado, enfim, que enxergassem como nós enxergávamos. Não há jeito de ensinar o outro a enxergar como nós. Não há. Já procurei manuais de estética e de arquitetura, é um assunto difícil e complexo. Acho que o jeito é mostrar *ad nauseam* o que você acha bonito até que a outra pessoa comece a achar bonito o que você acha. Claro que não é preciso catequizar alguém para o seu gosto, mas em coisas funcionais, do trabalho, do dia a dia, é preciso, sim. Há que se achar um padrão para que aquele que o está ajudando tenha noção do que você quer. Experimente enxergar como o outro enxerga. Impossível.

Esteve aqui em casa um japonês para fazer uma degustação de sushis. Armou na mesa um enorme barco, pontes, dispôs tudo como achava melhor. Fiquei ardendo de vergonha alheia, mas não queria tocar em nada antes que ele fosse embora para não magoá-lo.

Querendo ajudar, levei um prato de sashimis e coloquei na mesa do jeito que achava melhor em meio a tudo aquilo que ia derrubar dentro de minutos, quando o visse pelas costas. Pois não é que ele foi até a sala, apertou os olhos, andou até o prato e ajeitou-o virando uma pontinha de um centímetro mais ou menos?

Percebi na hora que dentro dele havia um sem-número de referências em relação àquela mesa que eu não tinha. Enxergava com seus olhos japoneses sua infância, os livros que havia lido, a paisagem da terra natal. Eu brasileiríssima, caipira, estava com minha estética de cuscuz de sardinha que não combinava nada com a japonesice dele.

Dá para entender? E tem gente que enxerga igualzinho a você, isso é que me intriga mais. Podemos ir juntas até o arranjo de flores e arrancar a mesma folha que atrapalhava o visual.

A vida tão cheia de problemas, o mundo se acabando e você precisando tomar um calmante na veia ao ver o arranjo horrendo de queijos no casamento chique, na festa que você queria fazer linda. Por que não consertou? Não deu. Se perdeu a hora de arrumar, se não viu, quando chegar perto já está cheio de convidados ali, em volta da malfadada bandeja, com olhos pouco críticos, é verdade. Nem todos são tão loucos quanto você.

Quero me matar por causa daquele arranjo de queijos. Você olha e vê que ele está fazendo o máximo para parecer bonito. Não pode. Tem que ser bonito sem mostrar esforço, para começar. Por que não um queijo só, enorme, para combinar com a quantidade de compotas? E sobre uma madeira que facilite o corte. Um bom queijo sobre uma boa tábua e pronto.

E quando se consegue ensinar a alguém o modo pelo qual gosta de apresentar a comida e aquele modo se torna batido, todo mundo faz igual, o mundo inteiro muda de jeito (são modinhas), como explicar que você gostava, gostava, daquele modo, mas que agora odeia, moda de florzinha no prato já passou, agora tem que ser nu, com cara de comida mesmo? Por exemplo, arranjo de talheres em formato de leque, desenhos incríveis. Guardanapos dobrados em formato de cisne.

"Mas não está bonito, d. Nina?"

"Está, está bonito até demais, mostra que você levou duas horas fazendo isso e não compensa; melhor neutro, um do lado do outro, nem bonito nem feio."

Bem complicado, mas estou lendo uns livros que falam do

todo, da simplicidade, da hora de saber parar de enfeitar, e talvez consiga montar uma teoria razoável de estética da comida em festas de casamento.

60 anos

SÃO COISAS QUE ACONTECEM todo dia, só que há uma infinidade de versões.

O telefone tocou e era um cliente novo pedindo um jantar de trezentas pessoas para comemorar seus sessenta anos. Só que estava com desejo de comida de mãe, e pior, da mãe dele.

A conversa sobre o provável menu foi agradável, versando sobre se comida goiana existe ou é uma variante da mineira etc. etc. Parecidas. Feijão, arroz, angu, farofa, carne de porco, paçoca, linguiça, galinha, couve...

"Então, vamos soltando as ideias. Todas. Depois a gente escolhe. Um tutu coberto de ovos e torresmos, um pernil... Não, não dá. É jantar. Uma coisa mais leve, um peixe de rio recheado e enrolado em taioba. Uma farofinha..."

"Você já comeu farinha de cachorro?", perguntei. "Isso já era coisa da minha mãe, parte do imaginário da cozinheira, fubá transmutado em sabor definido, forte."

Ele não conhecia, mas se lembrou imediatamente de outra especialidade. Sopa de marmelo. "É o que mais quero. Pode ser o primeiro prato."

"Mas sopa de marmelo não é doce?"

"Não a da minha mãe. Podia perfeitamente ser tomada no começo de uma refeição, porque o doce vinha só do marmelo, que não é doce, e os pedaços de queijo curado davam o toque de sal, derretendo no calor daquela papa rosada. O *quantum satis*", suspirou ele.

"E não podemos esquecer os pãezinhos de queijo, com polvilho do bom, que deixa os pães grudentos por dentro. Minha mãe fazia com sementes de erva-doce."

"Ah, é? Mas não vai poder ser, porque já estão nas broinhas de fubá que vão com o chá de cidreira. Fica muito..."

E ele queria piaba. Manjuba não servia. Tinha que ser piaba de rio, rasgando o céu azul na ponta do anzol, uma faísca de prata com cheiro de lodo.

"Ah, piabinha, tenha paciência, não vai dar. Nem um riacho aqui pelas redondezas."

"Então me sirva de aperitivo uns bolinhos de feijão. Daqueles bem secos. Não é acarajé, você sabe. Aliás, é como se fosse um acarajé frito em óleo comum e sem recheio nenhum. Bom para tomar com café, mas acho que acompanha bem um uisquinho."

E a conversa foi por aí.

Desliguei o telefone me sentindo uma fraude, com um frio fino na barriga. Um bufê fantasiado de mãe é como uma lagartixa bancando Godzilla. Como arrancar delicadamente, com jeito de mãe, a essência de cem frangos numa panela descomunal? E o caldo? Como pode o caldo cobrir um enorme galinheiro inteiro?

Vamos fazer o frango ao modo dos Moreira, que leva coalhada e aumenta o caldo. Só que a mãe vai saber que frango dela nunca viu coalhada, isso é coisa do Vale do Paraíba... De entrada, pasteizinhos de palmito, bolinho de arroz com muita salsa, os tais de feijão. Passa-se depois um caldo com cambuquira e pão de queijo.

O peixe de água doce era feio como o demônio, e não houve limão nem taioba nem couve que disfarçasse sua careta façanhuda. Teve salada comum com tomatinhos silvestres, molho de pimenta, vinagrete e um arremedo de paçoca. A única coisa de verdade, mesmo, era um arroz de pequi que mandamos vir de Goiás e que tinha cheiro de flor, coisa de não envergonhar ninguém.

As sobremesas da mãe eram mais fáceis, um arroz-doce com o nome do filho escrito em canela, curau mole, ovos nevados, picolés da terra, ou sorbets de frutas, suflê de goiabada com requeijão ao lado.

O cliente agradeceu. Disse que gostou. As pessoas que tinham uma mãe diferente da dele adoraram, não viram defeito. Mas eu bem sei que a vontade não foi saciada, o desejo se frustrou e a saudade continua firme, sessenta anos depois. Mãe é mãe.

produtividade

OS BUFÊS TÊM ESSA PARTE que adoro, de conversar com os clientes e resolver o que fazer. E tem a que eu detesto, que é convencer os cozinheiros a fazer o que se quer. Há fases e fases. Passam-se cinco anos bem, com uma equipe que veste a camisa, de repente alguém se casa, ou muda de cidade, e o equilíbrio se desfaz, a fofoca impera e fica difícil… Ah, cozinheiros, quanto "eu" misturado nos nossos feijões!

No fim do ano, balanço feito, fiquei com comichões de culpa. Muito desperdício, muita coisa impensada gerando uma baixíssima produtividade. (Sem esquecer as amáveis exceções.) Relendo todos os posts que estão no blog, mais desabafos do que posts, vejo que só reclamo da nossa baixa produtividade, principalmente no setor que trabalho, que é o de bufês. Mas vejo, espantada, que jamais reclamei que um cozinheiro não sabe fazer risoto. Só reclamo de não terem brilho nos olhos, de não quererem ir para a frente, de se interessarem pouco pela profissão e de terem um esquema muito rígido do que são suas obrigações. O cozinheiro jamais lavará uma panela, porque é serviço da lavadeira. Parecem todos criados numa riquíssima corte persa.

No entanto, esqueçam tudo o que eu disse. O verdadeiro problema para todos os males não está em não saber cozinhar. Longe disso. Quem sabe ler e escrever, e tem quem ensine, aprende rapidamente uma profissão, se gosta dela. É que falta a todos, da telefonista ao guarda da porta e ao patrão que frequentou o que se chamaria de uma boa escola, conhecimentos básicos para qualquer trabalho. E o problema que noto na produtividade não está ligado diretamente à profissão. É que ninguém sabe ler, escrever ou fazer contas.

Acho que o principal problema é a escola ruim, que quando ensina a ler não ensina a entender o que se leu. A interpretação de texto para todos, do andar de baixo e do andar de cima, é um calvário. O mundo mudou, e o modo de ensinar continua cada vez mais chato, mais obsoleto, mais inacreditável. Me respondam de verdade: quando se quer falar bem de uma escola, em qualquer mídia, o que é que vemos? Crianças plantando cenouras. Chega de horta, minha gente. Quantas cenouras precisaremos no Brasil? Já para dentro aprender a ler. (Muitas pessoas levaram a ferro e fogo esta afirmação. É uma ironia, um modo de enfatizar uma questão. O assunto sustentabilidade se tornou O assunto, não se fala em outra coisa e nem tenho certeza se as bases sobre as quais assentamos nossas cenourinhas são o bastante científicas para usarmos tanto, sem maiores estudos.)

Chega do assunto único. Vamos sustentar primeiro a cabeça dos professores e dos alunos, e eles chegarão sozinhos a esses conceitos. Ora, que acabemos com o mico-branco e salvemos as crianças brasileiras. Tudo isso não tem nada a ver com cozinha? Só tem. A leitura pode ser a chave. Falta muito para que o computador se estabeleça como ferramenta imprescindível para o trabalho do professor e do aluno.

Então é isso; não é preciso ter muitas escolas de culinária. Primeiro, vamos aprender a ler e escrever, prestar atenção no plano de educação de nosso candidato e, se tudo estiver falhando, comecemos com um projeto pequeno, dentro da nossa cozinha mesmo. Receitas escritas, resumidas, sendo desenvolvidas aos poucos, leitura de uma revista semanal de culinária, com comentários depois. Listas a serem conferidas. Ordens. Se ninguém alfabetiza, por que não experimentamos nós? Ler, escrever e contar. O resto vem depois, com certeza.

sueli

UMA MENINA DE CINTURA DE PILÃO e olhos buliçosos entrou para trabalhar no bufê, há vinte anos, como ajudante de cozinha. Hoje, pesa cento e tantos quilos, mas não perdeu a graça. É a mais sexy das cozinheiras, sacudindo as banhas firmes ao som da música dos DJs dos salões de festa enquanto frita bolinhos. Ágil, trabalhadeira, cheia de covinhas, generosa, fértil, suculenta, lustrosa, gostosa.

Se os que a rodeiam não se incomodassem com sua gordura, acho que seria mais feliz. Nesta semana, precisou fazer uma tomografia. Pois não é que não há hospital do convênio, ou melhor, não há hospitais com uma máquina na qual ela caiba?

Chegou na minha sala chorando, humilhada. "Sabe, d. Nina, é por causa do meu tamanho, sou muito alta, não entro na máquina." "Alta, Sueli? Um catatau desses? Você é gorda, não alta. Ficou maluca?"

Pelo jeito, ela raciocina que se fosse alta, a gordura se redistribuiria melhor e seria magra. Começo a dar tratos à bola para melhorar a autoestima dela, mas todos na cozinha estão envolvidos com o problema de peso dela e focalizam o olhar na gordura da moça, sem perceber seus próprios rabos. Difícil encontrar um lugar mais diversificado do que uma cozinha. Seres de todas as raças e tipos e cores e aspectos e preferências sexuais e deficiências físicas e... temos de tudo um pouco, mas o preconceito maior cai sobre a gordura. Ela é feia, vai morrer, não pode ir às festas, ocupa muito lugar etc. e tal.

O ônibus lotado não para para ela, os uniformes têm que ser feitos sob medida. "Vamos lá, então, Sueli, sei que você gosta do Jô, já fizemos festas para ele. Não é um homem sexy? E aquela dancinha do ventre, abrindo o paletó? O gordo pode ser lindo, menina. E o Marlon Brando, a leveza dele, e o Pavarotti?" Ela começa a enxugar as lágrimas. "Pense no pessoal ao seu redor. Gorda ou raquítica? Gorda ou burra e vesga? Gorda ou alcoólatra? Gorda ou fumante inveterada? Gorda ou mãe solteira? Gorda ou analfabeta?" Ela não discrimina absolutamente nenhuma dessas categorias, ama todos com seu coração de gorda, mas prefere ser a Sueli mesmo. Funga um pouco, como em dúvida atroz. O pesadelo do gordo é que ele chama a atenção, ocupa mais lugar, pressupõe uma culpa inexistente, uma falha moral. O gordo precisa esconder a fartura dos peitos, a boca grande e molhada, a bunda calipígia. (Um pequeno senão: Sueli não tem bunda que se mencione.) E os gordos sonham com a utopia. Com o dia em que o pêndulo da moda redescubra as três graças de Rubens, Renoir, o poder dos reis gordos, dos presidentes fortes, em que os modelos sejam Vênus de Willendorf e de Laussel, dia em que as dietas serão banidas porque, além de não funcionarem, fazem mal, dia em que precise emagrecer somente um tantinho para se viver com saúde.

As mulheres, mais do que os homens, têm obsessão por chocolate. Parece que precisam da gordura para manter a função metabólica controlada. Mas, Sueli, perca as esperanças! Não chegou a hora do ovo de Páscoa sem culpa. Ainda estamos combatendo a anorexia. A alegria das gordas só chegará com um sério trabalho político, até desobediência civil, uma revolução, enfim. Nesse dia, comer com prazer não será mais pecado, e sim obrigação.

Por que os cegos e os coxos se riem dos gordos? Porque os próprios gordos se detestam e se acham culpados. Nossa cultura não contribui para sua autoestima. Atenção, Sueli, o Domingo de Páscoa está chegando e pode ser que a vergonha e a culpa de comer é que façam você engordar. Pense no ovo, na ressurreição, na vida nova, enfie os dentes brancos numa barra untuosa de chocolate e saboreie sem pressa ou ansiedade. Coma chocolate, menina, coma, principalmente agora, quando você coube na máquina do laboratório Fleury com facilidade. As máquinas é que eram pequenas, garota.

desinteresse?

OI, MENINOS E MENINAS que trabalham em bufês. O que está acontecendo? Desinteressados? Não querem saber de novidades? Já sabem o bastante? Como dizia minha mãe, "quanto maior o dia, maior a folia"? Se não se interessarem pelo assunto comida, se não querem conhecer seus pares, se não têm curiosidade por um produto novo, larguem a cozinha, vão procurar outro espaço.

Se não forem curiosos agora, quando chegarem a uma vetusta idade não vão poder visitar países de mochila, entrar na cozinha dos restaurantes, subir e descer morros atrás de um bar escondido, ler até estufar o olho, experimentar receitas de broto de bambu, substituir as raspas de bambu por raspas de porco. Renascer por meio da imaginação e da curiosidade.

Claro que estou falando de quem trabalha com comida. Estou falando em chefs de bufê, de restaurantes, com todas as brigadas que trabalham nesse ramo. Com quem manda e com quem obedece. Do patrão ao lavador de louça. Juro, meninos, sem olhar atento, sem prazer na língua, sem humor, sem generosidade, não vai dar. Os tempos estão bicudos. É a hora da sobrevivência dos mais aptos; se não correrem, se não derem o melhor de si, o bicho pega.

Por favor, não fiquem no emprego empatando quem quer ir para a frente. Atenção, exército de Brancaleone, acomodados nas cozinhas do mundo inteiro: se vocês não tiverem dentro de si o perfeccionismo de quem quer ser o primeiro, a vontade de ser diferente, vão é se afogar na massa dos acomodados.

Comecei a ficar zangada vendo o David Chang, coreano-americano, dono do Momofuku. Como se diverte! O que ele quer é misturar as ideias dos outros com as suas, crescendo no processo.

Não vem que não tem com essa algaravia de "sou pobre, não estudei, moro longe, a cozinha é muito quente". É por isso mesmo, é porque não estudou que vai estudar agora, o simples contato com outro cozinheiro vai dar forças a você, aproveite um dos poucos lugares onde ainda existem mestres que também foram pobres em cozinhas quentes. Cada um, à sua volta, tem um monte de coisas para ensinar e trocar. Avante molecada, saiam do espaço de conforto, incomodem-se, aprendam a se mexer antes que seja tarde, façam força para entender a mudança!

mudança

POIS ENTÃO. Na minha frente um enorme salão de festas vazio. Um retângulo. Quando cheguei os maîtres já haviam colocado os bufês encostados simetricamente nas paredes. Esperavam os seiscentos convidados que sairiam da sala de conferências. Abrindo um pouco a porta era possível ver que lá não havia seiscentas pessoas, como esperávamos. Menos que a metade disso.

O salão era grande demais e seria preciso fazer qualquer coisa para que os convidados não ficassem esparramados naquela largueza, mas, pelo contrário, se sentissem aconchegados. O ideal seria aproximar a festa da cozinha, melhorando o serviço e o atendimento, pois os garçons não precisariam andar léguas todas as vezes que saíssem dela.

Propus, então, eliminar metade da sala, atravessando um dos bufês no sentido da largura do espaço. Cortando a sala pela metade.

Queria que vissem a cara dos empregados durante a mudança. Era como se o mundo estivesse caindo, como se tudo o que lhes tivesse sido ensinado até aquele dia ruísse sob o poder de uma senhora maluca. Como se as mesas e os bares estivessem há milênios pregados naqueles lugares.

Juro que não é exagero. Um deles, o chefe da brigada dos garçons, surtou, entrou em convulsão e gaguejou: "Mas como? Mudar?". Não faltou explicação. "É para o bem de vocês. Ficarão mais perto da cozinha para reposições, para servir os aperitivos, para repor as bandejas. As pessoas vão estar mais juntas, com acesso a tudo ao mesmo tempo, o bar estará próximo, todos circularão à vontade e poderão conversar."

Não havia jeito, não tinham jogo de cintura; não tinham

cintura. Seria como desmandar a ordem do Pai, do Filho e do Espírito Santo.

Aproveitei que o susto já se instalara e mudei tudo. Usei o que não era para usar, baguncei a cozinha do salão. No fim da festa, que foi ótima, alegre, à pergunta se não havia sido melhor, respondiam animados: “Ôôôôôôôôô”.

O simples mudar a posição dos móveis em uma sala pode levar à desestruturação das ideias de um homem. Digo homem, pois as copeiras, apesar de não entenderem de imediato, logo se acomodaram à novidade. (Sempre acho que nós mulheres somos como as galinhas que se acomodam em qualquer galinheiro, pois a maior preocupação é o ovo. Se há onde botá-lo, tudo bem.)

É claro que os criativos também erram. Aliás, devem errar mais, animados com qualquer novidade, prontos a matar e morrer por um chiclete exótico. Só me chateio com os anos, com o tempo que passa entre uma invenção e a aceitação dela. Enquanto isso espero com fervor o dia em que ao chegar a uma festa descubra que os bufês estão nos lugares mais adequados e não nos costumeiros. Nem sempre o costume é o melhor conselheiro.

bola de cristal

MINHA BOLA DE CRISTAL anda revoando, brilhando, maluca, histérica, querendo adivinhar o futuro dos bufês, da comida que se compartilha, da comida que se come em casa.

A-ca-bou-se, sumiu junto com as empregadas. Qualquer pequena festa se torna um problema (não que seja preciso acabar com as festas ricas. Mas só a peso de ouro, de ouro justo).

Então, vai acabar o quê? O exagero descabido. As mesas com salada de folhas e de grão. Suflês, peixes, aves, acompanhamentos, carnes, massas, comidas, para os vegetarianos e alérgicos.

Bola de cristal, como é que o Brasil ainda quer festejar como nos bailes da Ilha Fiscal? E se não podemos mais levar adiante a arte da hospitalidade, se não temos mais tempo para o brilho e a louça das Índias, para o fogo das panelas, o calor do cozido, o gelado do champanhe, o dulcíssimo das sobremesas? Vamos morrer na praia, nós, o povo cordial, por falta de dinheiro e tempo de compartilhar a comida?

A culpa é nossa, festeiros muito cheios de ares e pretensões. Há coisas que não vemos mesmo de olhos muito abertos. Estamos repetindo rituais de duzentos anos atrás nesta terra tropical. Presos a regras, festejos de cortes. Nossos bisavós faziam assim, vamos fazer diferente. Qualquer mudança é sentida como queda de status. Deixemos o status cair; quem já botou pra rachar, aprendeu que é do outro lado, do lado de lá, do lado que é do lado de lá...

Vou só fazer umas perguntas inocentes, prometo. Em qual revista ou livro estrangeiro ou nacional, nos últimos cinquenta anos, vimos bandejas de canapés variados? Gente, a última foto de canapé pequenino saiu em *O Cruzeiro*, revista semanal ilustrada.

O que é um canapé? Uma porçãozinha de pão ou torrada, milimetricamente cortada, tendo em cima um quadrado de foie gras exatamente do mesmo tamanho, coberta por uma gelatina de Sauternes. Ou uma cestinha de papoula feita na frigideira, posta para moldar na boca de uma garrafa e recheada na hora para não ficar úmida, com uma árvore de cerefólio por cima. E assim vai a litania dessas peças do tamanho de uma unha (da Alcione) feitas com cuidado de ourives.

Festeiros, atenção, acabou. Estamos representando a mesma peça sem perceber que o texto caducou. Os canapés vão ser substituídos por uma sopa divina, uma salada nunca dantes tão frescota e talvez um bom prato de massa.

Já é muito, já é demais. Permitido, além disso, um prato principal único. O excesso caiu de moda, virou brega. (Aliás, sempre foi.) Agora é o self-service em casa, chega de levantar o dedo mindinho e entregar a *flûte* morna para ser substituída por outra geladinha. Vamos até o bar de um único garçom e sirvamo-nos sozinhos.

A bola de cristal desconfia que vamos criar juízo, diminuir a comida, não em quantidade, mas em variedade, vamos diminuir a prata, as velas, as flores, os garçons, as copeiras, a frescura. Só nós é que não percebemos que estamos todos de malas prontas para o Simples, para o Bonito, para o Bom.

guardanapos

TODOS PENSAM QUE FRANÇOIS VATEL (1631-71) se suicidou por causa de uns peixes que se atrasaram para uma festa, mas a verdade é bem outra. Foi por causa dos guardanapos.

Claro que todo mundo prefere os de linho, brancos, grandes. Então são os que deveríamos alugar para as festas. Acontece que os infames se perdem. Numa sala de oito por oito, se perdem, somem para sempre. Nem a CIA nem a Scotland Yard são capazes de achar. Desaparecem no ar.

Há a suspeita de que os convidados inadvertidamente ponham o paninho no bolso quando vão comer ou beber. A copeira chega com outro, eles pegam de novo, e assim vão enchendo os bolsos e só descobrem em casa. Em casamentos as mulheres gostam de usá-los para encher de doces e presentear os filhos pequenos que esperam ansiosos em casa.

A reposição é bastante cara. Como fazer o cliente arcar com essa despesa? Explicar o quê, se nem nós sabemos onde foram parar? Acontece nas melhores famílias. Até vou contar um papelão que fiz quando fui almoçar no Nonno Ruggero. O atendimento é perfeito, logo na entrada alguém bem velhinho já faz uma cara de que te conhece, todos sorriem, todos querem ajudar.

Tenho o hábito de colocar o guardanapo no colo e por ser *gauche*, desastrada, ele cai no chão de cinco em cinco minutos. Então, escondido, prendo a pontinha na cintura para evitar que os garçons passem a noite se agachando debaixo da mesa e trazendo um limpo de volta.

Comemos, bebemos e fomos embora. Todo o staff ria para mim, com boca de Mick Jagger. Nos corredores encontrei mais sorrisos, pedi um táxi com o coração embalado, contente por ser tão querida. Já adivinharam, é claro. Passei pelo Hotel Fasano inteiro com um avental de guardanapo. E só em casa — em casa, nem no táxi — percebi que o difuso amor por mim era uma risada das boas. Não foi fácil voltar no dia seguinte com ele lavado e cara de tonta.

Acho que, em tempos antigos, era de rigor pegar canapés com o guardanapo. Então até hoje as copeiras andam com uma salva de prata e oferecem primeiro o guardanapo e depois o canapé. O convidado pega, há de ter alguma utilidade aquele pedacinho de pano tão oferecido. Mas foi-se a época distante em que se pegavam coisas com guardanapo. Só se for uma canela de porco vertendo gordura, mas não se serve isso em coquetéis.

Não sei como faço nas festas. É provável que chupe o dedo ou passe a mão na saia, porque raramente preciso de um guardanapo para limpar a boca. Lembram-se de um vídeo em que o George Bush cumprimenta uma porção de pessoas do povo e depois limpa as mãos na camisa do Clinton? Está lá no YouTube. Pode ser uma ideia passar a mão na camisa do vizinho.

Ou talvez escrever um recadinho horrível e colocar dentro das dobras do guardanapo, como naquelas correntes que recebemos: "Se enfiar esse guardanapo no bolso, será atropelado dentro de uma hora por um carrinho de chá".

Hei de solucionar esse problema, mais cedo ou mais tarde. Veremos.

sujo ou limpo?

NO BUFÊ TIRAMOS LONGAS MESAS de madeira inteiriças, porque a lei obrigou a ter móveis de inox. Já andei lendo sobre o assunto, que é complexo e vasto. Cientistas e pesquisadores mostram que a madeira é mais eficiente no controle da "sujeira" do que outros materiais. Porém há muitas variáveis, e ainda não achei um estudo que me provasse tudo isso com certeza absoluta.

Mas fico pensando. Na nossa infância, alguém tinha mãe que não chupava a chupeta quando caía no chão e punha na sua boca outra vez? Quem não engatinhou no chão onde o cachorro babou? Alguém morreu? Quando terá surgido o conceito de sujo? Tenho um livrinho aqui, *Purity and Danger*, de Mary Douglas, que me esclarece um pouco. Só no século XIX é que foi descoberta a transmissão de doenças por bactérias, o que transformou tanto nossas vidas que só podemos pensar em sujeira em relação à patogenia.

Se abstrairmos a patogenia, ficamos com um conceito de "sujo" muito interessante. Sujo é o que está fora do lugar. Se você compra um sapato novo e o coloca no meio da mesa na hora do jantar, vai ser interpelada: "Tira esse sapato da mesa, por favor". Meio cálice de vinho está longe de ser sujo, mas, se ele cai na sua camisa, ela passa a sujíssima. Nosso comportamento versus poluição é condenar qualquer coisa ou objeto que possa confundir ou contradizer as classificações padronizadas.

Só perguntas. Por que uma cereja que cai num chão aparentemente limpo tem que ser jogada fora e se cai numa mesa aparentemente limpa é comida com gosto? Por que tudo bem os chefs franceses ficarem na porta da cozinha e quando o prato do cliente passa apertarem o bife com o dedo para ver se está no ponto? Por que temos de usar luvas para fazer os mais visguentos doces, onde se fica parecendo um macaco que grudou no piche? E por que aquelas redinhas horrendas na cabeça, cheias de furinhos, uma coisa tão feia que não há jeito de sair da cabeça feia daquele cozinheiro uma comida boa? Levanto a bandeira dos turbantes coloridos, de chita, como os amarrados no Pelourinho, para as mulheres brasileiras, com muito charme e graça.

Quando você cozinha para a família, supostamente o grupo que mais ama e ao qual não quer que nada de ruim aconteça, usa luvas, redinha, uniforme e gruda o bigode com um esparadrapo? Ora, deveria cozinhar até de capacete. Tudo o que sai do nosso corpo é perigoso e nojento. Cuspe, sangue, leite, urina, fezes, lágrimas. E se você usa as unhas para cozinhar, toca os ingredientes com a mão, sua no calor dos fornos, nada disso pode aparecer na comida. O restaurante será punido e terá que fechar as portas se aparecer uma unha cortada, um cabelinho bem limpinho na sopa. É porque está fora do lugar, minha gente, pensem bem. As índias fazem cauim mastigando e cuspindo, os indianos tiram da boca sementes de melão para torrar.

Pensem num restaurante. Tudo o que sobra é sujeira e tem que ser retirado da mesa imediatamente. Tudo o que ainda retém alguma identidade é sujo. Folhas externas da alface, a casca da laranja, a palhinha do alho, as folhas da beterraba. Vão para o lixo e ainda são nojentos. Quem quer enfiar a mão no lixo para encontrar a faca perdida? Depois que apodrecem, que viram composto, que perdem a identidade, não temos mais nojo. É gostoso deixar escapar pelos dedos um composto bem sequinho que vai ajudar a começar todo um ciclo de vida.

Imaginem uma cozinha quase pronta, mas sem vasilhas. Chega o fornecedor com um bidê novinho, rutilante de limpo, e põe no chão da cozinha. Alguém tem a brilhante ideia de bater um bolo nele. Será abatido a tiros. Por quê? Por quê? Gagá ou dadá?

sabe-tudo

TEMOS UM COZINHEIRO NOVO, simpático, habilidoso com as facas e esforçado. É tão generoso que me deu um celular velho, para eu assistir à novela, bem baixinho, nas festas onde estivermos.

Bem, fui mostrar a ele como saltear uns cubos de frango à chinesa para ficarem bem macios, e o rapaz quase morreu de ofensa. Juro, quase se demitiu ali na hora. Começou a desenrolar a história da comida e das técnicas chinesas jamais inventadas. Misturou bastante com as técnicas japonesas, mas tudo bem. Tudo ali na hora, como se fosse um mandarim. Já o apelidei de China, e me parece que, depois de ter surtado, gostou do método de deixar o frango macio.

Um conselho a vocês, principiantes. A primeira pergunta a um candidato a emprego de cozinheiro é se ele sabe cozinhar. Um truque, claro, que aprendemos com o tempo. Se ele responder que sabe, nem é preciso perguntar mais nada. É mudar para o próximo da fila. O bom cozinheiro sabe que nada sabe. A cozinha é um poço muito profundo.

Ai, que saudades de bater um bom papo sobre comida, olhando o mesmo livro, serena, sem rivalidades, sem modas, sem pequenas mesquinharias, de lado a lado, lendo por prazer, achando graça. E, por incrível que pareça, só se consegue fazer isso com um amigo, ou alguém que vai realmente se tornar um grande cozinheiro.

Os pequenos lutam por seu espaço como um cão fila, precisam saber de tudo, não dão o braço a torcer. A comida deles está sempre certa, é sempre a melhor. O assunto vai ficando assim, como num estádio de futebol, com várias torcidas uniformizadas e até com hooligans, cruz-credo.

Que chatice, não consigo mais enfrentar um cozinheiro sabe-tudo, enjoado, afetado, tremelicante. Por favor, mestres-cucas, deixem cair a máscara da face. Ao estudo, ao prazer. Falta muito tutano para poderem arrebitar esse nariz e empinar essa bundinha xadrez. Menos, por favor, menos.

Já pensaram que alegria ter um laboratório como o do Mocotó ou do Ferran? Lugar de acertar, mas de errar também, longe da vista dos outros. Se eu tivesse um cantinho desses poria o nome de Cozinha Caxangá. "Escravos de Jó, jogavam caxangá. Tira, põe, deixa ficar. Guerreiros com guerreiros fazem zigue, zigue, zá!"

Sonho de todo mundo que quer aprender, uma cozinha experimental, sem egos, sem palmas, sem choro, sem ranger de dentes, sem soberba, humilde como só ela, perseguindo a perfeição, desnuviando o ambiente, dando risada de si mesma.

Adorei a explicação de um dos mais apreciados cozinheiros do mundo, Thomas Keller. Pensou e pensou como chegara àquele perfeccionismo culinário. Respondeu, sem fazer gênero: "Quer saber? Culpa da minha mãe. Não éramos ricos, e minha tarefa em casa era limpar o banheiro. Só. Mas o que eu fazia aquele banheiro brilhar! Fui me aperfeiçoando, não deixava um canto sem escovar. Foi ficando uma joia. E, daí em diante, tudo que eu pegasse como emprego era feito com a mesma disposição. Acabei na cozinha, mas imagino que qualquer outra coisa que fizesse espelharia aquela primeira tarefa!".

sucesso

NA REALIDADE, todo *restaurateur* tem um blá-blá-blá qualquer para explicar seu sucesso. O Danny Meyer, dono do Union Square Cafe, de Nova York, põe a culpa do seu sucesso no poder da hospitalidade, que conseguiu ensinar a seus empregados.

Pode parecer estranho, sempre sou muito bem tratada em restaurantes, mas nunca me senti tão bem acolhida como no Union Square Cafe. Estava com meus netos e nem sei onde havíamos ido, provavelmente eu os arrastara pela feirinha bem em frente.

Sabem aquela sensação desagradável, de sacola na mão, de onde brotava com certeza qualquer planta fresca e nova, ou pior, um tanto de composto feito em casa? Os três cansados, nada daquele frescor pós-banho que restaurante tão bom merecia. E na porta perguntei timidamente a um belo garçom que olhava o movimento da rua se eram admitidas crianças. Antes que acabasse de falar, ele já havia carregado o menor às alturas, dando risada, um carinho genuíno nos olhos, e disse que só entraríamos se todos tomassem montes de caipirinhas bem brasileiras. Perguntou se preferíamos almoçar no bar ou no salão, sempre amigável, como se fosse o dono admitindo no restaurante pessoas muito amigas.

Como esse Danny Meyer consegue transformar o poder da hospitalidade em negócios me faz babar de inveja. O conceito dele é radical. Combinar elementos de comida boa e fina com serviço ótimo e descontraído. Além de tudo é perfeccionista e não para de aperfeiçoar esse conceito em todas as suas casas. E o pessoal que trabalha lá ou comunga do ideal, ou não serve para o lugar.

Mas como ele consegue contratar gente genuinamente alegre, otimista? E não basta ser hospitaleiro e generoso com o cliente; tem que ter a mesma atitude com os funcionários, com o sócio, os fornecedores. Os ajudantes de cozinha, os garçons, devem ter calor, alegria, verdadeira caridade, preocupação com o outro, curiosidade insaciável, uma tendência a fazer o melhor possível, empatia — saber como o outro se sente —, autoconsciência e integridade, vontade de fazer a coisa certa com honestidade e discernimento.

O pessoal tem que ser alegre, feliz, bondoso, amigo. Ter vontade de ser o melhor no campo que escolheu. De preferência ter mais que um campo de interesse.

Será possível?

empratados

OS CLIENTES A CADA HORA inventam uma novidade. Ora querem *finger food*, ora serviço à francesa, mas são palavras jogadas ao vento que ouviram de outro cliente, e assim vai se formando uma linguagem nova.

Serviço à francesa, à russa, qual é qual? O serviço à francesa existiu nas cozinhas europeias dos tempos medievais até a metade do século XIX. Imaginem uma mesa enorme de banquete, com os convidados sentados. A comida era colocada por etapas em frente a eles. Nada de seis pratos, mas dezenas deles colocados sobre a mesa, e os convivas tentavam comer o que estivesse ao alcance do braço.

O serviço à russa foi aquele que veio substituir o serviço à francesa em alguns lugares da Europa. Nesse estilo novo os empregados carregavam bandejas e serviam os comensais, que ficavam sentados em seus lugares. Eram necessários mais empregados, e decorações para a mesa que agora estava vazia. Interessante é que o serviço à russa é o que hoje chamamos serviço à francesa. Temos também o serviço à americana, o mais descontraído de todos, que é servido em bufê — os convidados se levantam e vão lá escolher o que querem.

Bem, fiz o esclarecimento acima para introduzir o assunto: confusão que se estabeleceu depois da *nouvelle cuisine*, já balzaquiana, ao inaugurar nos restaurantes a sequência de pratos esteticamente muito bem cuidados, feitos com as mãos dos cozinheiros sem luvas, para poder manusear com facilidade florzinha para cá, florzinha para lá, filé mais alto, camarão de bundinha arrebitada, cebolinha verde espetada olhando o céu, equilíbrio instável.

O cliente do restaurante pede um prato. São pratos fáceis, a maioria já picados e preparados para cozimento rápido, no instante de ser servido. São os pratos feitos, os PFs de antigamente, só que trabalhados com mão de ourives em pequenas e graciosas porções. Para nós, cozinheiros de bufês, a coisa apertou. Até há cinco anos, num casamento, se servíssemos um coquetel e um prato feito em pé, o objetivo era baratear a festa.

Não mais. A vida foi correndo, as pessoas foram tomando conhecimento do modo de servir dos restaurantes, e de repente todas, ou quase todas, dizem: "Queremos uma festa para mil pessoas empratada". As cozinheiras tremem nos alicerces. Cinco mil porções empratadas? De que jeito? O chef do restaurante solta cinco pratos por vez, cada um feito pelo encarregado ou em sistema Ford, e o cliente é servido imediatamente. Mas mil pratos ao mesmo tempo? Recolhidos e imediatamente seguidos por outros mil? Pratos cheios de linda comida quente que não podem ser empilhados? Quantos quilômetros de pranchão? Isso exige uma estrutura de mais que cinco estrelas, uma cozinha fabulosa e uma legião de garçons para que todos sejam servidos ao mesmo tempo ou quase ao mesmo tempo.

Costumo convencer as noivas com um ardil bem temperado. Não discuto muito e peço que façam a experiência em casa. Na hora do almoço ou do jantar, vá até a cozinha e faça um prato bem-arrumado com o que houver no fogão. Uma perna de frango ensopado, uma torrada com espinafre e ovo picado, um suflezinho de abóbora e arroz. Agora olhe bem. Tem que estar lindo. Mude a torrada de lado, ajeite o arroz. E o molho do frango? Coloque-o numa bisnaga de mostarda, conservando quente para poder arrumá-lo em ondas, na hora, em volta da coxa sem molhar a torrada. Pronta, saia correndo (mas sem desequilibrar os ingredientes do prato), abra as portas com os ombros e feche-as com o pé, corra pelo corredor, suba rapidamente a escada, saia no outro corredor e chegue ao quarto mais afastado da casa. Sente-se e saboreie sua boia fria.

Geralmente consigo fazê-las desistir do empratado, mas nem sempre.

caipirinha

ESTAVA CALOR NA COZINHA da Casa das Caldeiras, mas batia um vento, vindo lá de cima daquele telhado antigo. Não é desesperador o calor na cozinha. Você se acostuma, sem saber bem o porquê, talvez aquela necessidade de levar alguma coisa a cabo, pois a festa não espera. De vez em quando fico olhando a equipe trabalhar e acho bonito. Criaram quase que um corpo só e o serviço flui, mudo, um berro eventual.

Sueli, que chegou mocinha, com cintura de pilão, comeu um pouco de tudo e agora depois de uma daquelas cirurgias brabas emagreceu. Sexy como ela só, trabalhava dançando, rebolando ao ritmo da festa, uma energia sem fim. Era a única cozinheira que não usava aquela rede horrenda no cabelo, e sim um belo turbante estampado, bem amarrado, que não deixava escapar um fio, enquanto a tal rede, rede é.

William ficava lá no bufê, escondidão, trabalhando quieto, até que descobri que tinha um cozinheiro ótimo debaixo daquela quietude. Foi embora antes que eu pudesse fazer dele um cozinheiro de mão-cheia e famoso. (Me esqueci de contar a ele que tinha planos.)

Pela minha frente passou a turma das bebidas levando os ingredientes para as caipirinhas. Era tudo o que refresca no mundo. Quadrados de melancia, limas-da-pérsia, limões-sicilianos, muito e muito gelo.

Não resisti, pedi uma caipirinha de limão. É o que peço sempre que não sou levada por imaginação perversa. Mas o barman era novo e ao ver minha cabeça branca optou por incrementar a receita. Diminuiu a cachaça, diminuiu muito, quase que tirou o gelo todo e incluiu gengibre e cravo. Era um chá de gripe, convenhamos. Fui tomando aos golinhos, para não magoá-lo.

Geralmente os mais velhos não bebem, ou por certa circunspecção ou porque com a chegada dos anos a bebida deve ser evitada. Como nunca um médico me alertou contra isso, me dou muito bem com vinhos, destilados, sangrias, clericôs, cervejas, martínis.

Passou um tempo, e os garçons, que são para lá de fofoqueiros, foram contar ao barman que eu chamara a caipirinha dele de "chá de velha". Ah, os brios! Demorou um pouco e chegou às minhas mãos, trazida pelo próprio, o que eu chamaria de um poema tropical. Um copo alto, de cristal liso, transparente, com uma caipira de caju e laranja sanguínea feita nos conformes.

O primeiro choque foi aos olhos. Muito linda, parecia o Brasil enfiado num copo; como é que os gringos deixariam de amar uma bebida que traduzia a terra que visitavam? (A festa era para eles.) As cores se misturavam sem exagero, o caju tinha cara de caju, a polpa solta da casca, carnuda, comestível, e a casca com o colorido que só o caju tem. A laranja sanguínea soltava seu vermelho, os cubos de gelo davam brilho ao todo. Vou procurar a receita, pensei. Deixei para depois. Na alma a caipirinha soava como um sino cristalino, uma bica fresca e lúcida no meio do deserto.

bolo de noiva

BOLO DE NOIVA É COISA DE BOLEIRA. Geralmente o bufê não faz. Só se tiver uma *pâtissière* de plantão.

Um bolo me fascinou a vida inteira: o de madame Bovary, ou melhor, o de Emma, ao se casar com Charles, numa festa campestre com homens e mulheres vestidos simplesmente. O *pâtissier* era de outra cidade e deu o bolo de presente para fazer propaganda e conseguir mais alguns clientes.

"Na base havia um quadrado de papelão azul representando um templo, com pórticos, colunatas e ao redor estatuetas de estuque em nichos constelados de estrelas em papel dourado. Em seguida vinha no segundo andar, uma torre de bolo de Savoia, rodeado de minúsculas fortificações em angélica, amêndoas, uvas-passas, pedaços de laranja e enfim, sobre a plataforma superior, que era um prado verde com rochedos e lagos em calda, barcos em cascas de avelãs, viu-se um pequeno cupido, oscilando num balanço de chocolate, cujas hastes terminavam no cume, com dois botões de rosas naturais, à guisa de esferas."

A comida salgada tinha tudo a ver com a região e o status social dos noivos. Leitão, lombo, cabrito, chouriço e nos quatro cantos da mesa havia garrafas de aguardente.

Jeffrey Steingarten dedicou um capítulo especial de um livro seu ao bolo de noiva, interrogando um pouco acerca da origem desses bolos, quase obrigatórios, e lembrando que ele próprio ao casar ficara intrigado achando que melhor seria se fosse um bolo de carne, bem saboroso.

Lá pelos anos 70, pelo menos aqui em São Paulo, o bolo passava por tempos difíceis. As pessoas questionavam não somente ele, mas o casamento. E se ninguém comia o bolo para que servia? Como símbolo, é claro.

Mas, esquecido o símbolo, era considerado caipira por muita gente. Só a Maria Luiza Ricci os fazia maravilhosos e caríssimos e vinha ao bufê mostrar avisando em alto e bom som. "Não é caipiragem, é arte", dizia e provava. E moldava aquelas esculturas de oito andares que eram levadas para as festas, desmontadas, no chão de peruas enormes. Ela junto, deitada com os bolos. E os bolos ricamente decorados foram se afirmando, principalmente por terem passado a ser bonitos de verdade.

O bolo foi estudado na Escócia. Antes deles, havia nos casamentos bolinhos pequenos como bolachas, colocados uns sobre os outros, que eram esmigalhados sobre a cabeça dos noivos, como voto de fertilidade. (Eram o arroz de hoje.) E chegaram à conclusão de que a hora do corte do bolo branco e cheio de flores era o desvirginar da noiva. Ou a imagem de cortar o pão e comê-lo junto com os amigos. Ou a primeira tarefa que o casal cumpria em conjunto. Ou o bolo representava a própria noiva e sua vestimenta. Há um livrinho consagrado sobre o assunto que pode ser comprado em e-book: *Wedding Cakes and Cultural History* de Simon Charsley.

Queria só assanhar vocês para um assunto tão fascinante. No momento pedem o bolo nude, nu, que não leva a glace dura e açucarada. Mas bolo nu é muito simples. Já está sendo coberto de frutas. Não se assustem, boleiras, logo estará de volta o vestidíssimo.

Agora, o bem-casado acho que não vai desaparecer nunca; é quase um caso de toc. Fala-se em casamento e pumba, aparece a palavra "bem-casado". Dá a impressão que sem bem-casado não vai dar certo. Não pode dar certo. Antigamente também tinham essas nossas manias de acabar tudo com doces. Faziam até pequenas casas onde se acabavam as festas no meio das gelatinas, duras, duras de ágar-ágar. E quem inventou o bem-casado? Faz sentido, os dois pedaços juntos, ligados por doce, símbolo fácil.

docinhos

QUEM NÃO CONHECE as mesas de docinhos de casamento, docinhos em bandejas, que vão do branco do açúcar ao marrom do chocolate, glaçados, caramelados, em trouxinhas, medalhões, camafeus? Qual a mulher que já não deixou a festa emburrada porque o marido se negou a esperar a sobremesa? Quem não sujou a bolsa de açúcar roubando docinhos para os que ficaram em casa?

Uma vez fiquei intrigada com uma tia que, antes de sair para um casamento, pintava de vermelho a unha do polegar e do anular. Só. Envergonhada, explicou: "São as unhas de pegar docinho".

Acreditem. Essas são histórias que se repetem tal e qual desde que o açúcar começou a fazer fartura no mundo. A partir do século XVI, foi se tornando mais abundante na Europa, ainda que caro. E, por ser caro, denotava status. Logo, a sobremesa tornou-se um novo departamento no qual se podia mostrar a amigos nosso grau de riqueza, bom gosto e conhecimento de novas modas.

Quem se encarregou da doçaria foram as mulheres, um tanto pelo açúcar ainda estar ligado à medicina e a ela, chefe da casa, competia tratar de pequenos males. Outro tanto por ser relativamente caro e perigosa a *gaspillage*, o desperdício na mão de cozinheiros homens, pouco acostumados às delicadezas do açúcar. E as mulheres não precisavam enfrentar a cozinha pesada a não ser na hora das geleias e compotas. Doces e bolos podiam ser feitos em salas só com fogareiro com a ajuda de criadas e filhas e mulheres da casa.

Os arquitetos, como sempre muito ligados na arte de bem viver, interessaram-se imediatamente pela sobremesa, a parte final do banquete, e começaram a planejar ambientes separados nos castelos, para que a novidade fosse saboreada, principalmente no verão, em meio à paisagem, campos a perder de vista, vergéis floridos.

Quando visitamos um castelo, muitas vezes nos intrigamos com o *banquetting room*, onde se comia o *banquetting stuffe*. Como poderiam os banquetes ficar tão longe da cozinha, da própria casa? As comidas não esfriavam? A palavra *banquet* passara a designar somente a parte da sobremesa, dos doces em geral, vinhos apropriados, águas cheirosas. Ali começava o banquete de verdade em meio a jogos, danças, cantos, música.

Às vezes, essas salas eram construídas nos telhados dos castelos, o que aumentava a beleza da vista. Subiam-se escadas depois do jantar para se chegar à mesa de especiarias confeitadas, à geleia colorida, à gelatina mais azul, ao marzipã moldado de mil maneiras, a ponto de se confundir com aquilo que representava. Os bolos de noivas começaram a parecer com bolos de noiva, cheios de andares, flores, detalhes, pombos e anjos. O repertório dos doces era enorme. Além deles, frutas da época, importadas, confeitadas, em compotas. Tudo o que pudesse ser massacrado, batido, socado, macerado, misturado com frutas e especiarias, cozido, assado, e enfeitado com açúcar tinha a chance de ser inventado.

A beleza era importante; o apelo sensual, tanto na confecção como na apreciação, muito óbvio, apesar de enrolado em tafetás e fitas. Além das especiarias e do próprio açúcar terem fama de afrodisíacos, eram moldados de modo a produzir gracejos e anedotas.

Hoje, na verdade, não se fazem mais mesas de doces como antigamente. Chego à conclusão de que tudo foi culpa do isopor e do papel-alumínio, que, ao servirem de base e substituírem as estruturas feitas com o próprio açúcar, transformaram a mesa de doces num monumento kitsch. E culpa também do leite condensado, que poupa esforço e que deixa todos os doces com o mesmo gosto.

Ou há que se esquecer desse final climático nos casamentos ou trazê-lo de volta à moda antiga com mais graça e sabor, ao tempo em que ainda havia tempo e o açúcar era uma cara novidade.

Vamos caprichar na mesa de doces e nos enfeites. De vez em quando, é bom retomar uma tradição para que não se perca nos livros, nas fotos e ilustrações antigas, e para recuperar certo sentido de ritual e de sagrado.

estratégia

TODOS OS DIAS AS PESSOAS SE CASAM, é bonito. Por mais que se brade contra a família, noivos e noivas teimam em se casar. E comemorar.

Os que entram pela primeira vez na complicação que é um casamento estão, é claro, cheios de dúvidas e perguntas.

"Comemorar como? Todo mundo em pé? E o sogro com aquele nariz empinado, vai ter que dançar o tempo todo e sentar num pufe quando estiver cansado? E a sogra? Ela é boazinha, coitada, mas não come nada... Crianças, ah, é, tem as crianças, temos uns trinta de três a seis anos, dá para fazer macarrão com molho branco? Ah, mas e as babás que comem muito? Será que não pode ter um fogão só deles, fazendo batatas fritas e nuggets de frango?"

"Dá, tudo dá, é claro, vamos por partes, temos que nos lembrar de todos os detalhes que vão se somando a outros detalhes, então vamos pela ordem."

Tem de tudo. A vovó que tomou duas taças de champanhe de estômago vazio e vem confiar o neto à cozinha para que tome um mingau de maisena. Um mingauzinho de maisena agora? Vai pro salão, bebê, vai cumprir sua função. Por experiência sabemos que criança não quer mingau, quer é correr, puxar a trança das meninas, se enroscar na cauda da noiva, pular sobre os pufes, perseguir a luz que faz desenhos no chão, derrubar a bandeja cheia de copos de um garçom, aliás, suprema ventura.

As mulheres chegam à festa não muito bem-humoradas. Choraram na cerimônia, o rímel escorreu e aquele salto alto é uma tortura inventada pelo diabo. Ah, a capacidade que a mulher tem para o detalhe. Em vez de encher a cabeça com dúvidas existenciais, vão logo para a flor do guardanapo que deveria combinar com a cor lilás da anágua da noiva. "Pularam um tom", murmuram amarguradas... Precisam de um tempo para recarregar as baterias.

Os homens, na verdade, não têm desejos específicos. Só sabem com certeza que não era ali que queriam estar. Engravatados, sentem uma súbita saudade do sofá de casa, do jornal, às vezes do cachimbo. Mas não se manifestam. Aquilo tudo é um mundo que a maioria deles desconhece e não entende, porém aceita. A quantidade de flores, os vestidos brilhantes, a música alta, o *brouhaha*.

O pai da noiva, sim, está incrédulo com o acontecimento. Ganha uns uísques do solícito garçom e tenta se consolar. O noivo é um acessório tão importante quanto uma bolsa de grife. Existe para dar o contraste do escuro e do branco, do sartorial e do vaporoso, do sério e do risonho. A noiva não existiria sem ele, que é o pilar para a fragilidade do anjo. Treme e balbucia por dentro, mas representa o porto seguro onde vai ancorar a noiva, a barca balouçante.

Parentes, amigos, DJs, músicos, cozinheiros, decoradores, serviçais, floristas, costureiras, cabeleireiros, doceiras, maquiadores, varredores de pétalas e de arroz, organizadoras do dia, encarregados dos casacos, dos presentes, médico de plantão, mulatas da Mangueira, donos do salão de festas, valetes, damas de honra, boleiros são o pano de fundo para que o casamento se realize. (Parece que é o único sacramento não ministrado pelo padre. Ele é mera testemunha do consentimento dos noivos. Estão vendo? Num casamento, só os noivos e uma testemunha são necessários, nem o padre!) O restante fomos nós que inventamos, eternos procuradores de pelo em ovo e sarna para se coçar.

Ainda teríamos muito material para contar a vocês como os detalhes de um casamento real na Inglaterra, por exemplo. Todos se assustariam com a simplicidade, mas fica para outro livro, para outra vez. E a essa altura já estão achando que não gosto de festas de casamentos; afinal, é minha profissão. Olha, quer saber?, nem gosto muito mesmo, da estética, principalmente. Mas ainda não consegui inventar uma do meu jeito, vamos pensando.

barata

RUMEI PARA O ENSAIO DE UMA FESTA. O que é um ensaio? É um simulacro do que vai acontecer no dia seguinte. Não há ensaios da noiva entrando na igreja, provas do vestido, *rehearsals* de músicas, de shows, por que não haveria um do almoço de gala? Afinal, até o presidente da República é capaz de vir, prometeram e desprometeram, mas nunca se sabe com certeza absoluta. O senador vem.

Tudo feito para evitar imprevistos. Por mais cedo que você

chegue, está sujeito a surpresas. Afinal, são detalhes demais, muitas flores, muitas vasilhas para caber em mesas e aparadores de laca cor de vinho. E o tempo, o tempo, é melhor já deixar algumas coisas prontas, ou ensaiar, porque na hora já se sabe tudo.

Chegamos desavisadas. O apartamento é daquelas fortalezas dos Jardins em que os porteiros não estão lá para facilitar sua entrada, como seria de prever. Estão lá para desconfiar que o Bin Laden chegou, disfarçado de Dona Benta. E governam seus mundinhos de dentro de gaiolas. Primeira gaiola, segunda gaiola, corredor estreito, tomam nota dos nomes, dos CPFs, mordendo o lápis em dificuldade insana. E aí, depois de muito esperar pelo material, que também passa por suspeitas, pois cozinha tem muita faca, quase não sobra tempo para o ensaio.

A ideia é que a comida seja brasileira, com uns toques delicados de fusão com outras terras, mas as flores são francesas, vieram do Midi. São lavanda, e não a lavanda que já temos aqui, não. Vieram cheirosinhas, de avião, mortas de medo. Lilás, só o nome já é uma estranheza, e mais flores de alcachofra de um roxo profundo. Vamos convir que os arranjos são lindos, perfeitos.

E estendemos sobre a mesa as esteiras de bananeira que vão dar o choque, *épater*, fazer a diferença, a casa tão transada, tão cheia de objetos nobres, chique, chique, um pouco igual a tudo que é muito rico. As paredes recobertas de quadros de museu, mais as nossas esteiras, artesanais, vindas do Norte, novinhas em folha, ainda sem abrir, amarradas por junco.

E aí, pasmem, uma barata aponta as antenas de dentro das esteiras. Feia. É do Pará, grande, cascuda, com asas, brasileira. É melhor não dar bandeira, ninguém entenderia como aquela barata apareceu ali, no mais dedetizado dos lugares. Ela parou, estupefata, vinda diretamente do chão craquelento, do calor do Norte, e, de repente, toda aquela informação nova, Paris, Versalhes, aquele mármore branco e preto no chão gelado.

Pôs-se a andar como se tivesse medo de escorregar, sentindo perigo, e foi saindo confusa, destramelada, procurando um buraco escuro e quente. Nós, as donas da barata, mudas, de bico fechado, imóveis. Podia ser o fim da carreira de estilistas de mesa. E ela foi indo, foi indo, até encontrar a maciez da Pérsia, o conforto da lã.

Amanhã, vamos ter gaspachos com frutas brasileiras, se é que isso existe, um salmão mergulhado em sucos de moqueca, sopas de cambuquira, esparregados de bertalha, lula com tapioca e *amuse-gueules* de todas as espécies, desde canapés a pirulitos de parmesão, circulando pela sala. Os garçons, com dólmãs brancos, irrepreensíveis, uma das mãos para trás, servindo champanhe a rodo. As mulheres rebrilhando, furta-cores, os sapatos de salto inacreditável, os decotes generosos, as bolsas de grife, o blush nas bochechas.

Mas nós, nós sabemos, com certo sobressalto, que a barata está lá, rente ao vaso Gallé. A barata está lá, espreitando, ainda muda de espanto. Hospedada na casa do banqueiro, *oiweh*!!!!

penetras

NEM SÓ DE CASAMENTOS VIVE UM BUFÊ. Nunca tive coragem de contar algumas coisas por achar que minha credibilidade ia balançar. Mas não resisto. Muitas vezes fazemos festas com entradas grátis e livres. Por exemplo, um banco patrocina um musical e na estreia oferece um coquetel. Uma casa de cultura inglesa inaugura o ano com um festão. Alguém defende uma tese. E os maîtres me contam no dia seguinte que a metade da festa havia sido de penetras, que comiam a comida toda, e o que se podia fazer para escapar da fúria comilona deles? Ah, cansei das tais conversas. "Gente, que mesquinharia, há um limite para um tanto que a pessoa pode comer. Deixem que comam, que bebam!"

Numa dessas festas, acho que num cinema, conheci a tal tribo de fila-boias. E em menos de alguns minutos percebi que não eram safados nem pobres, mas, sim, doentes. A quantidade de comida que conseguiam comer não era deste mundo. E depois, quando não aguentavam mais, punham mais em sacolas levadas a propósito.

Nessa mesma noite, um deles me pediu uma água. O serviço já havia parado, as pessoas começavam a entrar na sala. Prometi que em um minuto providenciaria a água dele. Pois adivinhem o que me fez, o infame? Enrijeceu o tronco como uma árvore e pof, caiu no chão, um defunto de madeira de olhos fechados. É claro que apareceram dezenas de copos de água, com açúcar e sem açúcar. Levantou-se e me olhou de soslaio, num "viu?" rancoroso.

Na semana passada voltou o tal de pesadelo. Exposição de arte, mas nessa altura da vida sabia que não era possível controlá-los. Melhor curtir, como no Facebook. Sentei numa beirada de palco e fiquei observando. Um homem de uns setenta anos, de bengala e óculos escuros, bem vestido, agasalhado, e a mulher chiquezinha, tailleur, lenço no pescoço, olhos pintados. Ela o segurou pelo braço, pôs um espeto na mão dele e posicionou-o em frente a uma enorme bandeja indígena chata, de barro, forrada de sal grosso, cheia de minibatatas com casca e ovos de codorna defumados.

Ajudou-o a espetar a primeira batata, explicando: "*Kartoffeln*!!!". O senhor, que era cego, mas não burro, espetou uma batata, um ovo de codorna, batata e ovo, batata e ovo, numa pequena sinfonia de habilidade, até encher o hashi que tinha na mão. E isso continuou noite afora, mudando só o lugar, o velho comendo como um Pantagruel, obsessivo. E ela, por cantos opostos, só voltava a se encontrar com ele quando descobria novidade.

Outra da turma também era velha, daí eu associar um pouco com Alzheimer. Cabelo branco curtinho, bem baixa, óculos, olhos vedados por um filme branco de catarata, um pouco masculina. Já muito, muito alimentada, sentou-se ao meu lado, na saliência do palco, de olho nos garçons. Aparecia um, corria com passinho curto incrível de rápido, alcançava a bandeja na ponta dos pés. Se estivesse vazia, voltava, sentava de novo, com cara de uma batalha perdida, mas não a guerra.

Não me venham dizer que eram pessoas com fome. Sei do que estou falando. Da próxima vez fotografo e ponho no blog. Bom, se eu, de castigo pela boca rota, não estiver na mesma condição, arrancando nacos de carne de pernil com a mão.

as palavras

ACABEI DE LER O LIVRO *Um banquete de palavras*, de Jean-François Revel, que foi traduzido pela Companhia das Letras. É muito bom.

A certa altura do livro, há uma referência a Henri Bergson, que filosofa sobre linguagem. É possível que o nome de um alimento interfira em nossa apreciação dele? Bergson acha que sim. O nome de um alimento muito conhecido, exaltado por seu sabor excelente, pode nos enganar. Quando chega às papilas gustativas, ajudado pelo santo nome, gostamos dele burramente, só porque o elogio se colou nele, passou a ser parte integral dele.

Não é interessante? Mas, infelizmente, não é surpresa nenhuma para nós, *caterers*, donos de restaurante, todos aqueles que têm que dar comida em horas especiais, dias de festa, quando o inusitado é de praxe.

A linguagem dos cardápios é difícil. O nome das receitas muda com as revoluções gastronômicas. As pessoas querem comer o tradicional... contanto que seja o jamais visto. Só nós, os que cozinhamos, sabemos que existem poucos bichos comestíveis e compráveis tão diferentes daqueles de todo dia. Relativamente poucos. Os modos de cozimento também são poucos. Assado, grelhado, cozido ou frito, só.

O que fazer para agradar, enfeitiçar, dominar o cliente? Vejamos... Qual destes pratos você escolheria? Salada italiana ou salada de rúcula, com queijo pecorino toscano, vinagre balsâmico e croûtons? Presunto com melão ou presunto doce de Parma, untuoso, acompanhado por bolas de melão de Israel marinadas em vinho do Porto? Ostras cozidas ou ostras pochées sobre creme de azedinha e shimeji, salpicadas com ovas de salmão? Carne de vaca crua e fatiada, com queijo ralado ou carpaccio a parmegiana? E para a sobremesa? Pudim de leite ou porção de *crème brulée* sem formato, com carapaça crocante de açúcar mascavo caramelizado? Fatias de parida ou delicados brioches *perdues*, cobertos por geleia agridoce de marmelo?

As segundas opções mandam para o cérebro mensagens de gosto, consistência, crocância, de macios e suaves, picantes e doces. Logo, os cardápios precisam evitar nomes muito prosaicos de coisas bem comuns, por melhores que sejam. Panquecas devem ser crepes, rocamboles são *roulades*, nhoque é *Knödel*, fígado é foie. Porco é terrível, torresmo é agradável.

A empadinha, nem pensar, caiu de moda, mas resgatá-la seria questão de nomenclatura. Pequenina torta de massa crocante ou esfarelenta recheada com creme de palmito fresco.

Salada de alface, quem quer? Salada de alface mimosa, *radicchio* rosso, *mâche*, *arugula*... Acelga, *vade retro*!

Vatapá e moqueca são indigestos, pesados, apimentados, mas peixe sobre um leve vatapá com uma suspeita de dendê, tudo bem. As galinhas devem ser de preferência d'angola. O salmão está cavando sua cova. Se continuar assim, barateando, nem a Escócia pode salvá-lo. Vai virar bagre ou sardinha.

Tortelloni de beterraba é ruim, mas a tortellini de beterraba polvilhada com sementes de papoula ninguém resiste. A palavra "papoula" vai direto ao cérebro, faz desenhos exóticos, incendeia a imaginação, é tiro certo.

Revel, no livro, chama essa cozinha de tagarela, em oposição à comida muda. A tagarela existe em jornais, revistas, televisão, cardápios. Fala, explica, inventa, inova. A cozinha muda trabalha, evolui devagarinho, está nos pratos diários, faz-se surda à tagarela. De vez em quando não resiste, é seduzida também e se rende a um detalhe, a um modo novo, a uma palavra extravagante.

E vão vivendo de mãos dadas. Bergson sabia das coisas.

receitas

huitlacoche

AH, VAMOS PARAR UM POUCO com lembranças que de tão antigas já ninguém se importa. Vamos nos lembrar de ontem, por exemplo. Mas qual é a graça?

Fomos comer um cozido num restaurante antigo da cidade. O restaurante é antigo, mas faz relativamente pouco tempo que fui lá. Queríamos ver como estava o cozido e de que modo faziam a mostarda de Cremona. Não encontro aqui a mostarda branca, transparente, sei que é proibido vendê-la.

Era um almoço de dia de semana, chocho, poucas mesas ocupadas, homens de negócio conversando dólares sobre os pratos de massa e um ou outro vago turista caído ali por acaso, hospedado no hotel. Na mesa ao nosso lado, sentava-se um casal moço, ele de terno, bonitão, ela de roupeta de trabalho e óculos. Enquanto beliscávamos o patê do couvert, ouvíamos só a voz do homem, intensa mas monocórdica, e algumas tímidas intervenções da mulher. Ele falava inglês com um leve sotaque a la Arnold Schwarzenegger. Ela ouvia. Nós pesquisávamos a mostarda.

Naquele dia, o cozido, ótimo em outros tempos, estava ruim. Era um prato triste, de hospital, pálido e frouxo, um arremedo do que fora. Desoladas, conversávamos abobrinhas. De repente ouvi uma palavra que se definiu, clara, iluminada, saída daquela zoeira mansa do Schwarzenegger, a palavra *huitlacoche*. Todos os meus ouvidos da nuca se alteraram. *Huitlacoche!* Só eu sabia o que era aquilo! Impossível que um executivo em viagem introduzisse na conversa aquela palavra mirabolante, tão específica, tão ligada à comida. Parei de mastigar, parei de criticar o cozido, torci o pescoço com naturalidade e fiz um olhar distraído, dirigido ao infinito de quem não estava ouvindo conversa de ninguém.

Cuitlacoche ou *huitlacoche* é um fungo prateado por fora e preto por dentro que dá nas espigas de milho verde e é muito apreciado no México. É uma praga, uma excrecência da espiga que se deforma, cresce e faz com que o milho se abra numa explosão precoce. O nome botânico é *Ustilago maydis* e o nome dado pelos astecas é *cuitlatl* (excremento) ou *cochtli* (adormecido).

Nos Estados Unidos e na Inglaterra (na França, não sei), é uma das novas comidas descobertas pelo mundo gastronômico. Um cocô dormido, dirão os céticos, como os astecas. Não, mais uma joia de exotismo, um cogumelo raro, uma coisa que não se planta, que brota sem que se espere, uma trufa nas barbas loiras do milho, esse camponês.

Ao cozinhar, solta uma tinta preta, muito saborosa. E ali, bem ao nosso lado, um homem com cara de economista sabia o que era *huitlacoche*. E falava:

"Fiz um *chowder*. Você sabe o que é um *chowder*? Digamos que é uma sopa, para simplificar. Uma especialidade do Maine. Fiz um *chowder* de milho. Comecei pondo uns pedaços de banha de barriga de porco no caldeirão. Poucos, para não engordurar demais o caldo. Esperei que encolhessem, juntei uma cebola e duas batatas picadinhas."

"Huuum..."

"Calma. Aí, mais um litro de leite, grãos de doze espigas raladas, mais os sabugos, os sabugos para dar gosto, tirei depois. Não se pode deixar ferver. É só aquele fogo baixinho."

Schwarzenegger pontificava. E nós, cozinheiros, aos poucos, durante a arenga que foi longa, detalhada, fomos nos apaixonando furiosamente pelo homem que tentava seduzir a mulher com uma receita de sopa. Era dos nossos! E que ciúme daquela menina desenxabida que só dizia "hum, hum", fascinada pelos dentes e amígdalas do falante, uma bobinha ignorante que nem sabia o que era *huitlacoche*.

"O tempero é sal e pimenta-do-reino. Tem gosto de horta, fresco, doce e forte. Aí, não aguentei, pirateei [*I smuggled in*] um lote de *huitlacoche* no caldo. Prato fundo, um quadradinho de manteiga por cima, pão preto, você nem imagina."

Schwarzenegger salivava e quase engoliu a menina ali, na hora, com sal, pimenta e *huitlacoche*. Foi a primeira cantada culinária que vi. Pela cara de sapo hipnotizado pela cobra grande da menina, acho que funcionou.

roux

A PRIMEIRA MENÇÃO A UM *ROUX* aparece no livro do francês La Varenne em 1650 ou 1750, não sei, uma dúvida de um século, imaginem... Nada mais é que a mistura cozida, em proporções iguais, de farinha de trigo e uma gordura. O produto final, conforme o tempo de cozimento, vai ser claro ou escuro, louro ou moreno, bege ou marrom.

O *roux* claro misturado ao leite dá o bechamel, o molho branco. Nada há que apareça mais em livros de cozinha, modernos e antigos, do que o *roux*, o ubíquo *roux*.

Há pouco tempo descobri numa carta de Mina Pächter, judia presa no campo de concentração de Terezín, uma alusão a ele. Ela agradecia à irmã: "Muito obrigada por me mandar um *roux* moreno [*Einbrenner*] de Bratislava, pelo correio, como amostra sem valor. Fiquei muito alegre". O editor explica no pé da página que aqueles que ganhavam e conseguiam guardar um *roux* eram considerados felizardos. Podia ser acrescentado às sopas ralas para torná-las mais nutritivas, ou era passado em pão e coberto com um pouco de açúcar.

O *roux* aparece também na diáspora dos franco-canadenses, os *acadians*, na Louisianna, ligando o *gumbo* de tantas influências, já engrossado pela baba do quiabo. Sem *roux* não há cozinha *cajun*.

Katherine Mansfield foi uma das escritoras que melhor falaram sobre o prazer de comer. Sabia o que era comer e beber bem. Pois não é que intriga os biógrafos de ontem e de hoje com suas receitas mais que perversas?

Ah, esses ingleses! Foram para a Índia atrás de especiarias e para quê? Para dar um tchã ao molho branco, só pode ser. Qual é a receita, afinal, dessa gordura com farinha de trigo que corre mundo ligando caldos e raças?

Martha Kardos, a melhor professora de cozinha, quando queria um *roux* louro ensinava assim: "Uma xícara de manteiga, uma xícara de farinha de trigo. Aquecer a manteiga em panela grossa. Juntar a farinha de uma só vez, mexendo e apertando os grumos para desmanchá-los. Continuar cozinhando em fogo baixo, mexendo sempre, até começar a alourar. Cuidado para não queimar nem um pouco. Deixar esfriar. Dura uma semana na geladeira. Se quiser fazer um molho branco, junte leite de uma só vez e mexa rapidamente, como uma pessoa desesperada".

Quando o molho estava grosso, Martha começava, então, a juntar ingredientes devagar, colherinhas na mão para provar. Noz-moscada? Mais um pouquinho de sal. Uma raspa de limão... Quando terminava a obra-prima, a empregada, muito brasileira, pegava a panela para lavar, passava o dedo, experimentava e esnobava: "Ah, molho *beijamel*!".

feijão

VEJAM COMO AS COISAS DEMORAM A MUDAR. Peguei uma aula que dei no Boa Mesa 1995, sobre pequenas porções, tigelas, e vejam que moderninha!

APERITIVOS DE FEIJÃO

Caldo de feijão-preto com croûtons e pedacinhos de clara de ovos cozidos
Caldo de feijão-preto com abóbora cozida al dente e polvilhada com sementes de abóbora torradas e salgadas
Caldo de feijão-preto com enorme camarão cozido, descascado, cauda apontando para fora do prato fundo
Caldo de feijão-preto com macarrão japonês frito em óleo bem quente que se transforma em nuvem de mandiopã
Caldo de feijão-mulato com capelete recheado de taioba fininha

O pior dessa aula é que um senhor se levantou muito ofendido e disse que eu não poderia dá-la, pois ele não sabia fazer feijão. Fez um barraco e saiu pisando duro. Tinha lá sua razão...

PRATINHOS INDIVIDUAIS

Purê de castanhas portuguesas, nem salgadas nem doces, cubos de foie gras passados levemente na frigideira, tudo polvilhado com um nada de pistache picado
Polenta de batata-doce com pedacinhos de pera dura e um fio de vinagre balsâmico
Sopinha morna, quase fria, de ervilhas frescas cozidas no leite de

arroz, temperadas com sal e hortelã com um fio de iogurte e um toque de pimenta

Salada exótica de melancia, queijo de cabra forte, sementes de abóbora torradas, tudo temperado com sal, limão e azeite bom (acreditem, melancia temperada é uma delícia)

Suflê de gorgonzola, pequenino, acompanhado por uva moscatel

Sopa fria de milho muito doce, abobrinha e lagosta, um fio de ovas de lagosta e salsa picada

Salada de mesclun *(primeiras verduras, tenras, misturadas) com queijo branco, dentro de uma cestinha crocante de parmesão*

PRATOS PRINCIPAIS

Vieiras sobre um purezinho verde, cebolas carameladas e alcaparras mínimas

Codorna recheada com foie gras, figos roxos e prosciutto, *sobre espinafre e nabos tenros*

Escalope e timo de vitela passados na frigideira com camomila fresca e dezenas de legumes de verão

Sobremesas do outro mundo: tartelete de pêssego, suflê de pistache, crème brûlée, *e mais não me lembro.*

bacalhau

SEMPRE TENHO VONTADE de fazer uma receita contada por Jacques Médecin, um famoso prefeito de Nice, mas acho difícil conseguir o bacalhau seco ao vento, dependurado no ar gelado e não salgado — prática usada pelos vikings que vinham da

Noruega, passavam pela Islândia e chegavam às águas piscosas de bacalhau. E daí, de posse da comida que não estragava nunca, saíam ao mundo.

Na Dinamarca de hoje se come o *klipfisck*, postas de peixe demolhadas, sem espinha, cozidas, servidas com rodelas de ovo, beterraba, batatas e muita raiz-forte ralada. Acompanhando tudo um molho branco feito com a água em que se cozinhou o peixe.

Mas e o prefeito de Nice que motivou tal digressão com isso? Conta ele que um velho pescador, de nome Barba Chiquin, que significa Tio Pinguço, chamava as crianças de Saint-Jean-Cap-Ferrat para testemunhar sua extraordinária performance na seguinte receita:

> *Colocar 100 g de bacalhau seco, mas não salgado, em pedra grande. Reduzi-lo a migalhas grosseiras com um machado. Colocá-lo num almofariz e pisá-lo com quatro dentes de alho. Numa frigideira, aquecer azeite até soltar fumaça e dourar duas pimentas ardidas. Juntar o bacalhau com alho, dourar, passar imediatamente no pão preto e comer.*

arrozes

ARROZ NUNCA FOI MEU PRATO PREDILETO. É estranho uma brasileira de quatro costados preferir batata, mas é verdade. Calculo que até hoje, nesta longa vida, não tenha comido mais que dez quilos de arroz, vá lá.

Uma nora chinesa faz um arroz branco, solto, feito na água e só, sem sal, sem nada. Uns dez minutos antes de o grão estar cozido, ela junta uma linguiça defumada salgada, mas com um leve toque doce, cortada em fatias finíssimas em diagonal. Fica ótimo, já me entusiasmo um pouco, mas é a mistura do porco com o arroz que dá a graça. Gosto também da massa de arroz que embrulha o doce de feijão que se encontra nas lojas japonesas e jogo o recheio de feijão fora, porque é muito doce.

Um belo dia, num restaurante tailandês, puseram, ao lado da comida pungentemente apimentada, uma cestinha com *sticky rice*, ou arroz grudento, que tínhamos que comer para salvar as papilas e o céu da boca ofendido. Pedimos mais.

Estou pedindo mais até hoje, num desejo perverso, de grávida velha, e não há arroz que me baste. Dizem que é difícil de fazer. Não; é facílimo, só que não se pode deixar de seguir as regras.

Fica mais bonito em cesta tailandesa, mas podemos nos resignar a fazê-lo no cuscuzeiro ou em peneira sobre panela com água. A impressão, ao ver o resultado, é de que o arroz deu errado. Além de tudo, quase ninguém gosta, acham estranho e duro. É daquelas coisas que vão crescendo aos poucos dentro de você e que com o tempo viciam. São poucos os eleitos, os que amam o arroz grudento à primeira vista.

O arroz a ser comprado é o *moti*, japonês. Tem um amido, uma cola, que faz com que os grãos grudem uns nos outros e apresentem uma textura leve de goma de mascar.

Como fazer? Ponha duas xícaras de arroz *moti* de molho numa tigela com água fria, por três horas pelo menos. No dia seguinte, escorra e deixe na peneira por algumas horas, para ficar completamente seco. (Pus para secar no micro-ondas e ele cozinhou imediatamente. Errado.)

Forre com fralda ou gaze o fundo de um cuscuzeiro ou a grade de um *steamer* para que o arroz não caia pelos buracos. Coloque aí o arroz, bem tampado, sobre uma panela com água, em fogo médio. O vapor vai cozinhar o arroz sem que a água encoste nele, só com o vapor. Tempo: 35 minutos.

O resultado final é um arroz branco, durinho, grudento, com muito gosto, que pega um pouco no dente. Pode ser comido quente, morno ou frio. Pode-se fazer bolinhas com a mão e mergulhá-las num molho apimentado, ou passar no gergelim torrado, ou, ou, ou...

Combiná-lo com quê?

Com todos os ensopados de curry, tudo o que tenha algum molho, de preferência pungente, como gengibre, pimenta etc. Nunca experimentei, mas tenho certeza de que fica delicioso com feijão.

Não contente em ser salgado, é a sobremesa preferida dos tailandeses. Faça o arroz como ensinado e, na hora de servir, despeje por cima um leite de coco puro, concentrado, e sirva com manga bem doce cortada em talhadas.

Os acompanhamentos para o arroz grudento são muitos, e é permitido inventar mais alguns. A minha preferida é a manga e, vá lá, o leite de coco.

Para encontrar o *steamer*, que é a panela de bambu para cozinhar no vapor, um bom lugar é o bairro da Liberdade, em São Paulo. Em Londres e Manhattan essas panelas são vendidas a preço de descartáveis, mas não sei por que aqui não são vendidas a preço de banana. São peneiras altas, de bambu, que se encaixam perfeitamente umas sobre as outras, com uma tampa, também de bambu, que as veda perfeitamente. É só colocar no vapor e temos a comida pronta mais depressa que na panela de pressão. E como é fácil. Nas prateleiras de baixo, os legumes, um filé de peixe mais acima e por último uns camarões.

Enquanto isso, prepare um molhinho arretado. Procurando bem, você pode encontrar um molho tailandês, também na Liberdade, já pronto. E temos uma refeição leve, sem gordura, como pede a moda e o figurino da saúde e da beleza.

arroz da meeta

HOJE VI UMA FOTO DA MEETA, ainda mocinha, magrela, com seu filho que morreu e o Ravindra (pai), que morreu também. Meeta chegou ao Brasil cheia de sonhos, e com a história de seu casamento na ponta da língua para contar a todo mundo. Um desconhecido, o casamento, as comidas, as pinturas, as joias. E a vida foi passando tão depressa que de repente chegou a hora de a filha dela se casar. A menina começou a contar dos candidatos que estavam pedindo sua mão etc. e tal, quando a Meeta acordou: "Menina, para com isso, essa história é minha!".

Enlouqueci com a comida indiana dela. Foi como a comida baiana para mim. Pareceu que eu tinha nascido ali, ao pé do Ganges, adorei tudo e continuei adorando vida afora. Essa é a receita de arroz de panela de pressão dela:

Derreter cem gramas de manteiga na panela de pressão e juntar quatro cravos-da-índia, uma folha de louro, uma canela em pau e seis grãos de pimenta-do-reino. Misturar dois copos de arroz bem lavado, escorrido e seco. Acrescentar água fervente até cobrir o arroz (um dedo, acima). Tampar e quando pegar pressão deixar cozinhar por cinco minutos. Desligar, não abrir até acabar a pressão.

quibe cru

FOMOS ALMOÇAR DESPRETENSIOSAMENTE na casa de uma amiga. Era para comer quibe cru. Nunca tenho chance de comer carne crua, só carpaccio, porque não faz parte dos costumes da casa, não peço em restaurantes, enfim, bobagem, mas não como. Convite, no entanto, é convite. A anfitriã, perfeita. Geralmente minhas amigas sírias e libanesas conseguem fazer uma comida tão boa, num ambiente tão agradável e familiar, que nos levam direto para as mil e uma noites, para a ideia de banquetes, cheiros, vinhos, especiarias, as cores do mercado, os limões, as frutas, o escorrer do vinho, do azeite e do mel.

É porque se preocupam com tudo e dão valor a tudo, à mesa, à cozinheira, às flores, aos hóspedes, aos cheiros, à antiga graça da hospitalidade desinteressada. Para dar um exemplo, essa amiga havia conseguido galhos de pessegueiro de flor branca, e não rosa, que são difíceis de achar. Quem notaria? Mas é isso que faz o ambiente, como uma produção caprichada de cinema!!!!

Fomos para a cozinha. A senhorinha que trabalha lá a vida inteira já está com um quilo de carne de patinho cortada em quadrados, carne do meio do patinho, quanto mais clara melhor, vermelha, mas clara e fresca e limpa de qualquer gordurinha, gelatina ou tendão. Já vou avisando que a receita não dou, pois seria indelicado; ela tem lá seus segredos.

Pensam que passou a carne com duas cebolas médias em máquina de moer, como antigamente? Não, nem pensar. Foi num belo, pequeno e rápido processador Moulinex. Escondido de tudo e de todos, juntou uma colher de manteiga à carne triturada. O trigo para misturar é trigo para quibe, mas do branco (geralmente usam o marrom). Não deixou de molho. Lavou mais ou menos quatrocentos gramas depois apertou com força para tirar toda a água. E daí foi colocando, aos poucos, na mistura de carne e cebola. Na última vez que juntou um punhado de trigo foi do marrom, porque achou, assim tão de repente, que daria uma corzinha melhor.

Colocou pedras de gelo e foi amassando com as mãos delicadamente. Provava a toda hora e pedia que provassem. Um pouco de sal, pimenta síria. Chamava várias pessoas para dar palpite no sal e na pimenta, até que houvesse um consenso. Não podia se esquecer de catar o gelo e jogar fora. Nosso Hervé This já ia procurar saber que história era aquela do gelo.

Adianta alguma coisa? Adianta, sim, para umedecer devagarinho, e imagino que a carne crua fica mais fresca enquanto é feita e liga-se com mais facilidade. E estava pronto. Era enrolar em bolinhas, apertar o centro, colocar um pouco de azeite e uma folha de hortelã. Você pode pôr um minuto na geladeira antes de servir, mas não é preciso. O que resulta é um patê muito leve, sem o menor cheiro de carne crua.

Detesto falar em regime, mas já pensaram que comida mais própria para um regime saudável? E para nós, os cozinheiros, inventores de plantão, que bênção! Uma salada de alface é o que se costuma colocar ao lado, com o pão sírio em torradas, ou não, e nós aviadaríamos tudo com molhinhos de romã, ou serviríamos como coquetel de camarão, sobre o gelo picado. Mas, por favor, não. A graça está nos ingredientes e na simplicidade. Me esqueci de falar, mas, na realidade, o quibe cru pode ser servido como um grande bolo, alisado com carinho, à mão, um pocochito de azeite por cima, mais carinho, só para dar brilho. E desse bolo se tiram colheradas.

Ao lado, na mesa, mais azeite e cebola picada, se você quiser. É uma comida básica e é boa assim. A receita perfeita seria: bater um pedaço de carne bem fresca e limpa com cebolas, sal e pimenta, e juntar um terço da quantidade de carne de trigo e um pouco de água gelada. Amassar bem. Acompanhar com azeite e cebolas, se quiser.

Esse é um processo que resulta em alta cozinha. Os patrícios sabem das coisas.

foie

E, NO MEIO DOS CONVITES, chegou um que jamais recuso e ao qual só não vou se me amarrarem na perna da mesa. A ocasião era a apresentação de novos foie gras de pato submetidos a uma tecnologia de ponta.

Imediatamente depois de abatidas as aves, o fígado palpitante de calor é surrealisticamente passado por um túnel gelado a cinquenta graus negativos até desembocar no vácuo onde vai ser embalado. Mas, como endurece totalmente, não sofre o choque e se conserva, segundo os especialistas, como se houvesse acabado de sair do pato para as mãos de uma rude camponesa. Mais ou menos isso.

Muitas vezes deixei de entrar numa catedral gótica, com seus vitrais, para observar os patos num lago em frente, alisando suas penas, andando desengonçados, mergulhando com graça. E sempre achei que um pato vale fácil uma catedral em matéria de estrutura, de cores, de prova da existência de Deus, de tudo. Ou pelo menos empata. (Perdão.)

Deformada pela profissão, passado o enlevo estético, começa a trabalhar dentro de mim, insidiosa, a velha raposa. Explico. Há trinta anos levo patos variados para o sítio, que invariavelmente são comidos por raposas, raposas que jamais vimos nestes longos anos. E muitas vezes a notícia do desaparecimento das aves nos é dada por alguém com barriga estufada à Juca e Chico palitando dentes satisfeitos.

Não importa qual é a raça da raposa. Plagiando Clarice Lispector com suas galinhas, tenho a forte impressão de que os patos têm como projeto de vida serem comidos pelas raposas. Detestam a velhice de penas opacas, o gogó, a catarata, o andar difícil atrapalhado pela bunda pesada.

Se a galinha é o disfarce do ovo, o pato é o disfarce do foie gras. A casa do fígado. As penas de cores mutantes, o jeito distraído de quem vai para algum lugar sem mesmo desconfiar aonde, até o amarelinho de suas primeiras penas são disfarces. Durante esse tempo de gloriosa juventude, estão construindo o fígado, moldando seu sabor inigualável, engordando o prazer. Fabricam a alegria das raposas desgarradas, essas pobres criaturas que só pensam no gosto definitivo.

Pois é. E convidados fomos para a degustação do novo fígado biônico, estelar, fresco como o orvalho. Sei apreciar um cardápio bem estruturado, que balanceia ingredientes, cores, texturas. E, numa degustação de um ingrediente só, e gordo, é preciso muita maestria, o que não falta ao chef Erick Jacquin. Começamos com dois raviólis de pele fina estourando de recheio de foie, num molho reduzido a quase caramelo de laranja com pimenta-do-reino grosseira por cima. Depois uma salada de mínimas lentilhas, bem temperada, coberta por um escalope de foie ao vinho do Porto. Seguiu-se um purê de batata, dos visguentos, com um "bife" por cima, pequeno, moreninho, chamuscado no ponto certo, crocante como um torresmo por fora e untuoso por dentro. Ainda um *magret* com sal de Guerand, uma textura mais firme. E a sobremesa? Foie gras, minha gente, com um sorvetinho de creme, uma farofa doce, acompanhado por um Sauternes dourado.

E, acreditem, era bom, foi o céu dos patos e das velhas raposas.

vísceras e miúdos

DOBRADINHA, MIOLO, PULMÃO, coração, moleja, fígado, língua, rim e também tutano, sangue, cabeça e testículo são vendidos em feiras, nas bancas de miúdos. São bancas que jamais têm fila.

Há os que adoram vísceras, os *foodies* que não têm medo de descer na escala social comendo *cervelle au beurre d'oignons* ou *tripes à la mode de Caen*. Os políticos em campanha também não rejeitam um sarapatel ou buchada. É comida de pobre, de gente que mata o bicho e avança para que os miúdos não estraguem. Em muitos sacrifícios rituais as vísceras eram oferecidas aos deuses, mas nunca se teve notícia de que eles as tenham comido.

É um mistério essa antipatia urbana e civilizada por tudo o que esteja dentro da carcaça do animal. Claro que é uma antipatia recente, de classe média urbana. Na escala de nossa implicância, figuram, pela ordem, os seguintes miúdos: olhos, testículos, coração, miolo e língua. Olhos para ver, testículos para procriar, coração para sentir e viver, língua para mastigar.

É o formato. Deve ser o formato. Passa-se anos indo ao açougue e mal se distingue entre alcatra, patinho, mignon e picanha. Mas uma língua é uma língua. Há o medo de, ao mastigá-la, mastigar a sua própria sem distinguir a textura, o jeitão. O pulmão respira, o miolo nos dá o Q.I. do boi de bandeja.

É tudo muito íntimo, visceral, lá do fundo, não há como disfarçar. Se for bem disfarçado, como num patê untuoso ou num bife de minhocuçu, tudo bem. O que os olhos não vêm o coração não sente.

A madrasta de Branca de Neve, muito louca, mandou pedir o coração da menina. Deveria ter pedido o fígado, que é a sede da alma. Na América os caçadores de búfalo comiam fígado fresco, passado de mão em mão como musse gotejante.

O fígado transmite ao caçador a força, a sabedoria do animal abatido. Para torná-lo mais palatável, era salpicado de fel, o que realçava e dava contraste àquele doce sabor de ostras cruas.

Nas guerras, nos tempos de comida racionada, adivinhem o que não era racionado? Adivinharam.

E todo mundo, na hora H, na hora da fome braba, só queria uma sopa de cabeça de carneiro, uns bolinhos de miolo. O açougueiro tinha que fazer sorteio, quase um bingo, para evitar briga. No fundo é tudo frescura e, na hora do aperto, é só fazer das tripas coração.

RISOTO DE DOBRADINHA

Compre trezentos gramas de dobradinha já limpa e branqueada. Coloque-a em uma panela no fogo, com água fria que a cubra, e junte uma cebola, uma cenoura e sal até ferver. Deixe no fogo médio por cerca de uma hora. Retire a dobradinha da água e corte-a em tiras de dois centímetros.

Enquanto isso, ponha umas seis xícaras de caldo de carne com sal, mas não muito, para ferver.

Aqueça três colheres de óleo numa panela, junte cebola e alho picadinho, dois tomates pequenos picados, um raminho de alecrim, umas duas tiras de bacon e refogue bem.

Junte meia xícara de arroz italiano para risoto. Junte a dobradinha e comece a adicionar o caldo de carne à panela, de concha em concha, à medida que o arroz vai secando. Depois de cerca de vinte minutos o arroz vai estar pronto. Junte um terço de xícara de parmesão e sirva.

comidas da fazenda

TENHO UM LIVRINHO AQUI, daqueles de feitio feio, com cara de livrinho infantil e ainda por cima escrito por uma senhora do interior, Nadir Alves Galante Cavazin. É olhar e julgar. Lá vem chatice! Pois preconceitos ao ar. D. Nadir sabia do que falava com muita simplicidade e eficiência. Foi feito pela Sociedade Pró-Memória de Limeira, em junho de 2000, numa edição comemorativa da Comissão Municipal para os quinhentos anos do Brasil. Um dos apoios culturais veio da Secretaria Municipal da Cultura, outro da Prefeitura de Limeira. Tentei ligar, mas o telefone mudou. Imagino que quem se interessar vai achar. Se tivéssemos um livrinho desses em cada cidade brasileira, estaria pronta uma bela história da nossa comida.

A autora conta de onde tirou uma receita, como uma batida sensacional feita pelo tabelião Orlando Gullo. Comenta que nos anos 60 todos conheciam e se reuniam em torno delas. E lá vem a receita que o fazedor certifica e dá fé.

Não me importo tanto que as receitas sejam as mais maravilhosas do mundo. São as coisas que se comiam naquela época, naquele lugar, e tudo muito personalizado, com cheiro de verdade.

Nos anos 50, Limeira era uma cidade onde todos se conheciam. Havia o costume, nas vilas, principalmente, de os vizinhos compartilharem benefícios. Quando a jabuticabeira do seu João dava frutos, o quarteirão inteiro tinha jabuticabas. Quando na chácara do Zé Paulino se matava porco, havia banha para todos da rua; quando as pescarias do Zé Pipoqueiro eram favoráveis, o peixe acabava sendo distribuído para todo mundo.

Os quintais possuíam grandes dimensões e cercas de diversos tipos consistiam na divisória mais comum, ao contrário dos altos muros de tijolos atuais. Nessa época, para melhor fechar os quintais, plantava-se buchas, chuchu, feijão trepadeira, maracujá e abóbora, junto às cercas. E quando florescia, o bairro todo ganhava os produtos.

Do Natal até a Semana Santa havia milho produzido especialmente nos quintais. Nesse tempo, o presépio de palha de milho decorava a residência dos católicos. Bonecos da Sagrada Família e Reis Magos confeccionados artesanalmente com palhas e sabugos expressavam o sentimento natalino. O milho que amadurece entre o Natal e a Semana Santa simbolicamente permanecia ligado ao cristianismo.

Numa confraternização do espírito cristão, as famílias reuniam-se para a debulha das espigas, costura das cascas das pamonhas, elaboração de curau e doces de milho. Durante essas ocasiões, enquanto trabalhavam, as mulheres e as crianças cantavam, e os moços e as moças dançavam músicas como "Sabiá na gaiola", "Alecrim dourado", "Beijinho doce", "Jardineira", e tantas outras. Quando não havia sanfona, pandeiro e violão, bastava colocar o disco na vitrola, e não existia quem ignorasse a letra.

Nesses encontros que só terminavam na quaresma, porque durante esse período seria pecado cantar e dançar, servia-se a deliciosa sopa de milho verde com cambuquira, verde-amarela como o Brasil. Valia a pena! Hoje os tempos mudaram. Já não se compartilham os bens como antigamente. Habituado ao papel de telespectador, o ser humano não participa, apenas assiste. Nos quintais não se planta mais; grossos muros dividem as residências, e as grades, por questão de segurança prendem as pessoas em suas casas. As músicas têm ritmo mais malicioso que a ingenuidade das velhas canções, e tudo o que era doce acabou-se. Resta apenas essa receita, muito comum em nossos lares, para quem quer uma refeição somente, e deseja desfrutar o sabor daqueles bons tempos.

SOPA DE MILHO VERDE E CAMBUQUIRA

Um maço de cambuquira, devidamente lavada e picada; oito espigas de milho verde; uma cebola média ralada; um dente de alho socado; um litro de água; duas colheres (sopa) de óleo; sal a gosto.
Ralar as espigas e passar por uma peneira para tirar o bagaço, colocando água até extrair todo o suco.
Em uma panela, colocar o óleo, a cebola e o alho e deixar dourar levemente.
Colocar a cambuquira, refogar um pouco.
Juntar o suco de milho, o sal, mexendo sempre até engrossar. Se ficar muito espesso juntar água.
Abaixar o fogo e deixar cozinhar por uns dez minutos. Servir com torradas.

Quando Huberto Levy voltou da Alemanha, viúvo com cinco filhos, trouxe também consigo a bela jovem Johanna Graziella QAm Ende, carinhosamente conhecida por Loni. Filha de um professor, acompanhou-o como governanta, para ajudá-lo na criação e educação das crianças. Exímia quituteira, principalmente da comida típica alemã, destacou-se com primazia na execução de pratos doces.

Certo dia, tendo que retornar à terra natal, a bela Loni foi levada ao porto de Santos por Huberto. Lá chegando, com receio de não ver mais a mulher que dedicara tanto carinho e amizade a sua família, pediu-a inesperadamente em casamento. Ela aceitou. Casaram-se e foram morar na fazenda Ibicaba.

Por volta de 1945, Huberto Levy adquiriu uma gleba de terra que fazia divisa com a fazenda Ibicaba. Sendo um solo rico e bom para o cultivo, dizia ele ter comprado um bom bocado da terra.

Daí batizá-la de Fazenda Bombocado. Plantou alamedas de nogueiras cujos frutos passaram a incorporar tradicionais doces finamente elaborados na fazenda.

Todo Natal da tia Loni tinha um encanto peculiar. Ela própria preparava todos os pratos, além de decorar a casa com motivos natalinos para receber a família. Vinham tias, tios, primos, amigos, e todos já chegavam pensando nas bolachas de areia (*Heidesand*).

Um coral composto por cerca de quarenta pessoas, feliz, cantava ao som do violão a célebre "Stille Nacht", tendo ao fundo da sala de jantar um grande pinheiro todo enfeitado com luzes e velas para iluminar a Noite Santa.

Depois da ceia em que nunca faltaram batata com salsichas, vinha a melhor parte, a mais esperada, que fazia com que as pessoas sempre desejassem retornar àquela noite mágica, pois quando d. Loni oferecia a seus convidados o bolo de Natal (*Klöeben*) e as bolachas de areia (*Heidesand*), que derretiam na boca, era uma alegria geral.

Até hoje há familiares e amigos contando que tentaram fazer as bolachas, mas em vão, pois em vez de iguais às de d. Loni, as bolachas ficavam duras demais ou muito claras ou muito escuras.

BOLACHAS DE AREIA

Duzentos e cinquenta gramas de manteiga; trezentos gramas de açúcar; trezentos e setenta e cinco gramas de farinha de trigo, uma colher (café) de fermento em pó; baunilha a gosto.
Levar uma panela ao fogo com a manteiga. Deixar derreter até queimar levemente.
Juntar o açúcar, a baunilha e a farinha de trigo misturada com o fermento em pó. Amassar bem.

Formar rolos de aproximadamente 3 cm de largura e 15 cm de comprimento. Deixá-los na geladeira por uma noite.
No dia seguinte, retirá-los uma a duas horas antes de cortar em rodelas de mais ou menos meio cm de altura.
Colocar em uma assadeira e levar a assar em forno brando por cerca de meia hora. Não deixar ficar escura, deve dourar ligeiramente.

Quem quiser saber mais sobre Ibicaba e a revolução dos colonos suíços que vieram trabalhar nela a convite do senador Vergueiro deve ler *Memórias de um colono no Brasil*, de Thomas Davatz, com tradução de Sérgio Buarque de Holanda. É um livro excelente com prefácio excelente do próprio Sérgio Buarque.

menu de mari hirata

MARI HIRATA NUNCA ME ENGANOU. Desde o dia em que apareceu para dar aula no primeiro Boa Mesa, pus o olho nela e percebi que a nossa nipo-brasileira era quem dava aulas com mais paixão, sabedoria e vocação.

Fui a um jantar de muitas mãos, mas quem sustentava o edifício era d. Hirata. Todos estavam lá metendo o bico para fazer jus às novidades dela. E são sempre novidades.

A entrada eram vieiras (já temos vieiras pequenas, mas boas, aqui). Era uma concha, com três vieiras pequenas dentro, uma crua e duas cozidas, com dois molhos diferentes. Lá vai a receita de um deles:

Um copo de suco de laranja fresco; trinta gramas de manteiga com sal; casca de meia laranja.
Cortar a casca da laranja em tiras bem fininhas (evitando colocar a parte branca da casca). Aferventar por dez minutos em uma panela com meio litro de água, deixar escorrer e reservar. Reduzir em outra panela o suco da laranja até quase virar uma calda (duas colheres de sopa), colocar a manteiga cortada em pedacinhos e misturar, aos poucos, sem parar de mexer. Por último, colocar as tirinhas de casca de laranja. Colocar as vieiras ainda dentro da concha aberta, sem tampa, no grill, até esquentarem, mas sem cozinhar muito. Pode fazer uma crua e duas mais cozidas. Colocar uma colher (chá) do molho sobre cada vieira.

O segundo prato (cuja receita dou a seguir) estava lindamente pousado numa folha de bambu e era um quadrado do tamanho de uma caixa de fósforos pequena, com a metade da espessura.

Uma gominha de gergelim, ora, não sei explicar, daquelas coisas que se come, se dorme e acorda pedindo para comer outra vez. Delicadíssimo. Geralmente, a comida da Mari Hirata é de uma sutileza sem par. O *gomadofu* (tofu de gergelim) se faz com:

70 g de gergelim descascado cru; 45 g de kudzu (arrow root, que não é a nossa araruta, feita de mandioca) ou polvilho ou fécula de batata; meio litro de água; wasabi e shoyu. Colocar em uma frigideira antiaderente os grãos de gergelim e torrar levemente em fogo bem baixo até sentir um leve perfume torrado.
Colocar em um pilão (Mari colocou no pilão) ou em um moedor elétrico (será?) e moer os grãos até formar uma pasta gordurosa.
Colocar essa pasta em uma panela com a água e a fécula, levar ao fogo médio sem parar de mexer. Depois que a mistura começar a engrossar, diminuir o fogo e continuar a mexer com uma colher de pau ou espátula, de 15 a 20 minutos. Colocar a mistura em uma fôrma quadrada pequena (10 cm), levemente molhada. Cobrir enquanto quente com filme na própria superfície, para não formar uma película. Esfriar na geladeira por uma hora. Antes de servir, cortar em oito quadrados. Servir com shoyu e wasabi (raiz forte japonesa).

Mari disse que se quiser pode fazer com tahine pronto, mas que fica infinitamente mais grosseiro. O molhinho de raiz forte fresca leva:

100 ml de saquê; 50 ml de mirim (ou saquê doce) ou açúcar; 50 ml de shoyu; 1 colher (sopa) de raiz forte fresca ralada ou wasabi em tubo. Ferver o saquê com o mirim, juntar depois o shoyu, desligar o fogo e colocar a raiz forte ralada fininha depois de morno. Servir com carne grelhada ou peixes, ou com o tofu de gergelim, é claro.

latas

TODO MUNDO QUE É MUITO LIGADO em comida só fala em frescores, frescuras, peixe recém-pescado, frutas com a folha ainda grudada no galho. Muitas vezes nos esquecemos do outro lado da lua. O da despensa. O das conservas.

Pois acreditem que em duas gerações, na casa de meus pais e na minha, nunca entrou uma lata de molho de tomate. Menos por preconceito do que por falta de costume. Mas uma crítica de restaurantes, americana, depois de um lauto almoço em Barcelona, tirou sua caderneta do bolso e resolveu arriscar um bar de tapas, o Quimet & Quimet. A indicação vinha do seu quitandeiro predileto, e ela, como toda cronista, estava mais esfaimada por assuntos do que pela comida propriamente dita. E esse bar era um assunto controverso. Palpitante. Só servia coisas em lata.

Foi seguindo as informações e logo chegou a um barzinho que quase estourava de gente, calçada cheia. Entrou com dificuldade e deu com a bancada onde trabalhavam Joaquin e Joana Perez, herdeiros do minilugar, que já existe ali mesmo desde 1914.

Nas prateleiras, nas mesas, no mármore das bancadas, latas, latinhas e latões de todos os feitios, vidros grossos e finos, garrafas e nenhum fogão à vista. Nada, absolutamente nada, era fresco. Lulas tenras e brancas, caviar, barriga de atum, alcachofras do tamanho de uma unha, presuntos, defumados, ovas, foie gras, anchovas dessalgadas, mariscos, caviar.

Os dois irmãos simplesmente escolhem o que há de melhor no mundo inteiro em matéria de conservas e elaboram suas tapas, como grandes chefs, misturando os sabores com critério. A jornalista conseguiu se fazer entendida apontando para os pratos das pessoas sentadas às mesas e logo experimentou um pedaço de terrine de cabeça de porco, que vinha num prato acompanhado por um figo cristalizado e um marrom, e fatias grossas de cogumelos porcini, italianos. Tudo salpicado com um vinagre de vinho branco, um vinagre balsâmico de Modena e água de flor de laranjeira. A terrine desmanchava na boca e os acompanhamentos lhe iam às mil maravilhas. E Joaquin e Joana, só de abridor nas mãos, abridor de lata, saca-rolhas, línguas de metal a serem puxadas à comanda. Um restaurante sem fogão, que bênção.

A crítica teve desejos de um canapé de salmão defumado com mel trufado, mas não aguentou mais, só arriscou a sobremesa. Uma torradinha redonda com coalhada cremosa por cima e chocolate belga. Uma noz cristalizada e uns salpicos de azeite de nozes e de brandy.

Nesse assunto, sou a mulher mais feliz do mundo. Tenho um amigo e concorrente de peso, o Charlô, que vai a Paris e me surpreende com os mais delicados pacotes que chegam pelo correio. Não dá para acreditar.

Tem biscoitos cor-de-rosa de Reims, sardinhas *milesimés* da Albert Ménés, fígados de bacalhau defumados da Dinamarca, caprichos dos deuses que são nozes *enrobés* em gianduia, *calissons d'Aix*, hóstias com amêndoas, caramelos levemente salgadinhos, marrons-glacês...

É a felicidade enlatada, melhor que o Quimet & Quimet, um momento de alegre lambança, em casa, sem precisar me deslocar até Barcelona.

tapas

UM TAPINHA NÃO DÓI! Principalmente na Espanha. Comer tapas, tapear, bebericar e conversar. Um cheiro de presunto cru no ar.

Um leitor me escreveu dizendo ter saudades das receitas. Quer receitas? Mas nem pensar em desagradar a um leitor, nem pensar.

Imagino que as tapas espanholas vão caber neste nosso bar.

Duas xícaras de azeitonas verdes marinadas com uns seis alhos amassados, duas colheres de raspas de tangerina, umas rodelas de limão, azeite, louro, pimenta em flocos, uma pitada de cominho. Cinco dias.

Entendi, o leitor quer um descanso de resenhas de livros, de sociologês e filosofês barato, quer comida barata, isso sim.

Os espanhóis têm ótimas coisas em lata, e nós curtimos nossos preconceitos de latarias há muito tempo. Em compensação, fizemos uma experimentação às cegas, de atum, e ganhou o brasileiro Coqueiro. Foi uma alegria. É só abrir a lata. Uma cebola já deve ter sido previamente cortada e posta a marinar em vinho tinto. (Para falar a verdade, nem precisa marinar em nada.) Na hora, é só escorrer e misturar. Pode pôr uma colherinha de maionese e umas torradas boas ao lado.

Sopa fria é com eles. Aliás, com todo mundo, menos nós. São refrescantes, mas não fazem nosso estilo. Falta de costume, só isso; ninguém com sede e fome pode dispensar um gaspacho geladinho. E as invenções em torno dele são muitas. Sopa de morango com funcho, tendo como base uma xícara de pão velho sem casca, demolhado por uns dez minutos e cozido com os morangos em um caldo. Bate-se. O funcho entra no fim, cru, em filetes mínimos.

Muita gente, principalmente os políticos, se lembra da salada russa. Batata, cenoura, ervilhas, ovos duros picados e, talvez, o indefectível atum. Maionese Hellmann's e amassar bem, não tanto como um patê, mas que deixe as pessoas confusas, sem saber por que aquela lembrança súbita de almoço de domingo.

Uma espanhola querida me ensinou um dos pratos de que mais gosto. Fazia a lentilha com pequenas peras duras, inteiras, com cabinho e tudo. E, na hora de servir, prato fundo, uma concha de lentilhas, uma pera em pé, azeite e vinagre bom num fio, por cima... Hum...

Um dos melhores petiscos é sardinha frita muito sequinha, que se pode comer toda, inclusive o rabo, mas é quase impossível fazer numa casa, pois fica cheirando por anos a fio. Não adianta um exaustor de última geração. Não adianta.

Tudo que é feito com grão-de-bico é bom. Eu me lembro de um espanhol recém-chegado que foi trabalhar na nossa casa e se recusava a comer. "E as codornas com grão-de-bico?"

Sabem que o Ferran Adrià escreveu um livro de comida caseira com ingredientes de supermercado? Por exemplo, você compra uma galinha bem assada, pronta. Depois, faz um molho com ameixas, damascos, pinole, um pouco de raspa de laranja e limão, vinho do Porto, canela, uma xícara de caldo. Daí, separa o frango em partes, arruma numa fôrma de ir à mesa e despeja o molho por cima.

Dez minutos mais ou menos e pode servir para as visitas. (Xi, esqueci que falávamos de tapas, mas ponha um pedaço em cada prato pequeno e vira tapa.) Detesto galinha com damasco e ameixa; se é para simplificar, deixa com farofa mesmo. Não falei em camarão por causa do preço, mas pode-se pegar uma cumbuca individual daquelas pequenas, encher de azeite quente, juntar um alho com casca, uma pimenta inteira. Levar ao forno e, quando ferver, juntar dois camarões também com casca por uns três minutos. Uma cumbuca por pessoa, claro. Comer com pão.

Pronto, caro leitor, um dia sem papo-cabeça para seu alívio.

cotidiano

são joão!

CRONISTA DEVERIA FALAR SÓ SOBRE O COTIDIANO. Aliás, a coisa que mais me diverte no jornal é a sessão que tem por nome "Cotidiano". O que se imagina? Coisas que acontecem todo dia, buracos na rua, atrasos de trem, uma nova praça no bairro. Mas prestem atenção! Não é! Cotidiano é o que aconteceu naquele dia. Então você vai lá procurar paz e o marido matou a mulher com sete facadas, e a criança se afogou no poço. Cuidado com o cotidiano, nem sempre é tão cotidiano como pensamos!

No hospital moderno, espancando de limpo, com aquelas torneiras que só funcionam com o poder de castanholas ou tacões flamencos, levanto esperançosa a tampa de metal, e lá está a bandeja de aço inoxidável com compartimentos dividindo as proteínas, os carboidratos e a gordura. É só bater o olho e ver que é uma dieta ba-lan-ce-a-da. Cenouras em rodelas muito cozidas na água, arroz grudado, almôndegas com clássicas protuberâncias pálidas de pão, um tomate recheado e os restos do queijo azedo da manhã num molho branco.

A nutricionista é oriental, cabelos amarrados numa touca, óculos para ver melhor, saia comprida. Uma nutricionista nada sexy. Menina, olha aqui. Se existe espécime descabelado e amarfanhado é acompanhante de doente. Um ser infeliz. Não dorme direito à noite, tem por cama um sofá duro com as cobertas escorregando, está geralmente ansioso e estressado. Mas o pior, o pior é a comida. O acompanhante é tudo menos doente do corpo, pois quem acompanha o doente tem que estar saudável, todos sabem. Os divertimentos são poucos. Só a bandeja da comida três vezes ao dia...

Menina nutricionista, tenha pena. Você pretende mesmo me curar nesses três dias que vou passar aqui? Equilibrar minha riboflavina, revisar minha glicose, xeretar minha escassez de cálcio, cutucar minha hipertensão, minha gordura? Ah, menina bobinha, acreditou na ciência, esqueceu o bom senso. Sabe do que um acompanhante precisa para se equilibrar? Comida boa. Pode ser simples, mas tem que ser gostosa. Deixa que eu me equilibro em casa, juro, equilibro outra hora, o resto da minha vida, prometo. Mas aqui?

O que você quer que eu faça com essa sopa tampada que solta um cheiro de todos os tutanos do mundo? Acredite, até o paciente entubado se rolou de rir por não ser dele a dieta! Não, não e não. Prefiro um consomê dourado com torradas. E esse salmão, que passou a vida inteira na água, não se afogou e veio se afogar aqui no caldeirão de água fervente? Va-t-en Satan!

Menina, como acompanhante triste, tenho direito a um croissant quente, de que escorra chocolate que eu possa babar pelo canto da boca, com um cafezinho curto, de máquina. Ou chá inglês de folha, e não um pó velho, de saquinho.

"Se a senhora tem alguma reclamação, deve se dirigir ao serviço de nutrição dietética do hospital das seis da manhã às...", começou a nutricionista.

"Menina, psiuuu! Não me fale em seis da manhã, que me arrepio. Seis da manhã foi a hora em que consegui pegar no sono. Eu não era ninguém às seis da manhã, quando a equipe de enfermagem me acordava para se apresentar. Mas agora, acordada e devidamente apresentada, quero mais do que esse dedal de anão de manteiga e odeio bolacha, se quer saber;

hospital tem mania de bolacha, que coisa mais fora de moda, menina!

"E essa saladinha murcha no almoço precisa mesmo desse topete de cabelo de broto de soja? Hoje, ontem, amanhã, todo dia, menina, que loucura, põe juízo nessa cabeça, sacode dela o que ensinaram por aí, passa por peneira, pensa com seu miolo. Qual escola te ensinou que comida ruim era essencial para sobrevivência?

"Pode deixar que me equilibro, juro por Deus. Só que deixa para depois. Não estou sendo exigente além da conta, me dá um mingauzinho de aveia, pode pôr por cima até uma colherada de uísque como fazem os escoceses; acompanhante adora uma colherada de uísque. Me dá uma enorme e desequilibrada salada no almoço, bem temperada, com um pãozinho crocante, e compensa no jantar com uma carne assada de panela e batatinhas coradas ou vice-versa."

"Qualquer reclamação, a senhora se dirija ao serviço de nutrição dietética do hospital que está aberto das s..."

"Gente, parece surda. Menina, tenho quase cem anos, larguei a manteiga por margarina, tomei óleo de fígado de bacalhau, dei uma gema diária (crua) à minha filha até que ela amarelasse, segui um médico que mandava tomar dezenove suplementos vitamínicos por dia, mais dois gramas de ácido linolênico. Equilibrei o yin e o yang, pingue e pongue, não comi gordura para não engordar, comi gordura para emagrecer, ando pesquisando a kava, ah!!!

"Preciso questionar, menina, acompanhante requer cuidados. E já que é junho, e ainda mais Dia dos Namorados, salta lá da copa uma porção de canjica sem canela! E, se possível, também não quero exagerar, um quentão para aquecer a alma. São João, acende a fogueira do meu coração!"

"Qualquer reclamação..."

morte da galinha

AVISO AOS NAVEGANTES desta minha tardia viagem. Matar não é difícil. Estavam todas as galinhas no terreiro numa hora em que ficam correndo de lá para cá, e vi dois frangos serelepes, bem no jeito, como as vítimas mais interessantes. Dizem que é possível reconhecer a idade de uma ave pelo bico e pela ponta do osso do peito, que são flexíveis nas jovens e rígidos nas velhas. Imagine se seria preciso. O que há de diferença numa franga e numa galinha velha... Depois de mortas, esquartejadas no supermercado, aí, sim.

Esse frango era inteligente, do jeito que eu gosto, marrom, só umas penas brancas. Correu, lançando-se para a frente num ímpeto, fingido, sabem muito bem quando lhes chega a hora e até se divertem um pouco com a ideia. Traidora, joguei milho bem perto de mim, ele não resistiu, parou a correria e veio. Agarrei-o desajeitada por uma asa, já muito decidida para o que desse e viesse.

O americano em lua de mel no sítio havia pedido, mesmo sem saber bem o que era, galinha de cabidela. Tivemos vontade de enganá-lo, dizer que não era tempo, esquece, que as cabidelas só dão com as pitangas.

Mas foi melhor assim. Pisei nos pés, podia ter pisado com mais carinho, ajeitado os pés com mais cuidado, mas cabiam poucos gestos. O caseiro, Alexandre, doce e suave matador do dia a dia, entregou-me a faca, fez-me raspar a penugem. E rasgar o pescoço do frangote. Não cortei o bastante, saiu sangue, mas pouco, ele me obrigou a cortar mais fundo. O sangue saía fresquinho, pouco.

"Alexandre, agora largo e ele fica pulando de lá para cá, meio morto?"

"Não, já morreu, pode deixar."

O resto de sangue pingava no banco rústico. Ah, que chatice, com certeza vai entranhar na madeira, *fiel testigo de mi traición*, nunca mais vou poder esquecer. O frango caiu no chão, sem estertores. Que impressionante, aquele bicho tão esperto há um minuto tinha uma vidinha de nada, um sopro, um fio, uma piscada.

No fogão a lenha, ao ar livre, fervia a água. Segurei a ave pelas pernas, mergulhei na fervura por segundos apenas. Com as mãos pegando fogo do calor, arrancam-se as penas, facílimo, soltam-se sozinhas, a pele como a de um pulso, finíssima, esgarçando. Pronto, já temos nas mãos um frango pelado, como o da viúva Chaves, que também gostava de aves. Nenhuma lembrança de vida, a coisa mais morta que já vi.

Chamuscá-lo no fogo, a fumaça contra o vento entrando nos olhos e ardendo. Não havia tristeza no coração de ninguém, nem de quem matou nem de quem assistiu. Pensei que o mundo ficaria como o Gólgota, nós ali debruçados sobre o morto, mas a vida continuava igual numa radiosidade intensa e parada, a natureza explodindo verde, verde, e tudo acontecendo no ramerrão de sempre. Impávidos diante do sangue.

O galinheiro, então, tem um desdém enorme pela morte, vieram todos para perto bicar algumas coisas e, pensavam, antes ele do que eu. Ah, ia esquecendo que é preciso uma colher de vinagre no sangue, mexer, mexer, para não coagular.

Depois, cortar as partes já não foi tão fácil, Jack the Ripper só virá com o tempo. Acertar exatamente as juntas, a faca muito boa, descobrir coração, fígado, moela; a moela dessa vez sem faisquinhas de cristal, só com terra, frango comedor de terra este.

Restou no fim uma ave magrela e sua bacia de sangue para cabidela, que não dá com as pitangas. Resolvi fazê-lo acompanhado por pequenos mangaritos que vingaram no sítio, batatinhas sem grandes atrativos a não ser para quem as comeu na infância. Mas não eram de todo maus, passei de leve no melado.

Ainda tenho vontade de mudar para aquele sítio. Temei, penas, temei! Sozinha, sem relações humanas para administrar, força no coração para matar sem medo e sem perder a ternura, dia após dia, as estações passando, o mar azul, o cheiro de lenha, a chuva criadeira, o silêncio, as pedras das ruas, a lua que se bota no porto sobre o cavalo branco, mas o mais importante é a sozinhez de velha louca, a absorção diária e ínfima da escuridão até alcançar a indiferença feroz das galinhas para com a vida e para com a morte, incautas, imortais.

restaurante

CHEGUEI UMA HORA ADIANTADA para o almoço no restaurante estreito como um corredor de trem, bem-arranjado em vermelhos e bromélias. A menina oriental, de coturnos, calça preta pelo tornozelo, lenço amarrado no pescoço com arte japonesa, me leva até a mesa, olhar insuportavelmente arrogante. Na moda, vestida para matar. A garçonete que se aproxima suavemente é feinha e tem bigodes de gato que tremem em alegria discreta quando se agradece a coca light com gelo e limão.

Uma mulher de cinquenta anos bem conservados, na mesa em frente, importa-se muito por estar sozinha. À espera de alguém, talvez, olha muito para a porta. Já foi bonita, guarda traços e ainda sonha à noite, quiçá de dia também, com o homem que vai levá-la de volta à categoria de socialite, um pouco gasta pela falta de dinheiro que atrapalha um bocado o status. É eventora, com certeza, seja lá o que a palavra significa, e trabalha numa sala do mezanino, com um bambu-mossô pendendo sobre a mesa e três livros de etiqueta na estante.

Quando a amiga chega, se transforma. O comedor solitário é um ser interessante. A meia hora de solidão o despe de certezas, traz à baila inseguranças. Com a entrada da parceira o puzzle se resolve, as pedras se ajeitam no tabuleiro, a vida sépia cobra cores. A amiga é pequena, tailleur escuro, óculos de intelectual, como se tivesse dentro de si um poço de sabedoria de certa profundidade, cheio de réguas, números, planejamentos. Um incongruente brinco colorido, um brinco só, brinca sobre o pocinho inteligente.

A que esperava tem mãos fortes de gerações de mulheres fazendeiras, chicote em punho a lidar com tachos de goiabada enquanto o marido bandeirava. É exigente, sabe das coisas, quer a salada sem palmito e o frango sem pele, pequenas implicâncias.

Mais para a frente dois companheiros de escritório, homem e mulher. É a primeira vez que almoçam juntos e sozinhos, dá para ver, e há meia hora conversam sobre filhos, reunião de pais, a educação das crianças, há que se impor limites. Não foram lá para esse papo, mas nele se grudaram como o macaco no piche. O assunto mingua perigosamente, baixam a cabeça sobre o salmão grelhado com ervilhas tortas.

O restaurante começa a entrar no pique e zoar, mas é impossível deixar de escutar o péssimo inglês dos brasileiros da mesa grande, que lutam por uns dólares e uma representação comercial. Uma palavra errada pode fazer ruir o castelo de esperanças. O mais humilde dos lutadores desiste de repente, se aquieta de todo numa azia terminal, e no rosto podemos ler uma caspa premonitória quase a cair sobre seus ombros, no futuro terno surradinho.

A ex-socialite reacende o olhar com a entrada de um ex-bonitão, queimado de sol, esportivo, forte, que pode vir a ser sua salvação, por que não?

O homem e a mulher teimam na dor de garganta dos meninos, o sarampo, pavor de sarampo, é sempre melhor chamar dois médicos, com certeza.

Nota-se um tom gay no bar já cheio, publicitários e executivos, bem vestidos, uns com roupas mais soltas, mais à vontade, outros mais tensos em ternos e gravatas. Bebem e riem.

Acabo meu pato com risoto, nada mau, e saio de mansinho, cuidadosa, evitando quebrar projetos e vidas dos outros, vidente pé de chinelo, barriga cheia de pato.

livros

VIVO DIZENDO AQUI que para sermos bons cozinheiros precisamos ler não só livros de comida, mas romances, principalmente. Arranjei uma base científica para minha conversa mole. Adivinhem de onde vem? Do lugar mais inesperado, a neurociência!

Os estudos do cérebro mostram o que acontece na nossa cabeça quando lemos uma descrição detalhada, uma metáfora evocativa, uma história: nosso cérebro é estimulado e pode até mudar nosso modo de agir.

Imaginem que palavras como "lavanda" e "canela" acionam respostas não só das partes processadoras de ideias, mas das partes que lidam com cheiros. "Perfume" e "café" fazem brilhar uma parte. Já "chave" e "cadeira" deixam aquela mesma parte escura.

Adivinhem se não é por isso que nós, cozinheiros, que sabemos das coisas por intuição, nomeamos um canapé simples de "trouxinha de papoula recheada de queijo de cabra da serra com cerefólio colhido no orvalho da madrugada na horta das ervas finas". Achei mais ético escrever "trouxinha com queijo", para não manipular o cérebro dos clientes, mas não deu ibope.

"Papoula", com esses dois pês estalando, a ilusão de um vício, a profundidade do "u", a subida do "la" — ah, "papoula" é imbatível. É claro que minha explicação é tosca, não entendo nada de neurociência, estou só passando adiante o que dizem os cientistas.

Até entendi por que esses livros "pornô soft" fazem sucesso. As mulheres sempre entram em carros com cheiro de couro novo, deslizam por sofás aveludados e roupa de cama acetinada. *Cinquenta tons de cinza*, cada um bombardeando o nosso cérebro a duzentos por hora.

Tudo leva a crer que o cérebro não distingue entre a leitura de uma experiência e a experiência em si, na vida real — em ambas, as mesmas regiões neurológicas são estimuladas.

A leitura provoca uma simulação vívida da realidade. O que leva a crer que a leitura de ficção, com seus detalhes, descrição de pessoas e suas ações, nos oferece uma réplica rica da experiência verdadeira.

Olhem só, já é uma pequena explicação, talvez (não quero me meter em assuntos que não conheço), para nossa mania atual de assistir a programas de comida na TV. O cérebro nos engana, e pensamos que estamos cozinhando. "Não foi você que fez esse nhoque, seu ignorante, foi o Jamie Oliver!" Mas o marido sai de frente da TV feliz da vida com a mão que deu no jantar.

A literatura reconstrói nosso lugar no mundo, nos desenha, é um espelho para que nos vejamos melhor. E não são só as coisas que acontecem, os fatos, a informação exagerada a que estamos submetidos que nos formam.

A leitura de um bom romance é uma viagem visceral, é uma experiência, é um jeito de ter novos olhos e ouvidos. Somos capazes de captar por meio da literatura forças e energias que nos sacodem de verdade. Ler boa literatura, conviver com a arte, nos faz crescer como seres humanos. A ciência do cérebro mostra que isso é mais verdade do que se imaginava.

Você foi à Flip, cozinheiro?? Pois sua feijoada de hoje em diante vai sair muito mais gostosa.

presos na mina

MUITA GENTE VAI ESCREVER sobre os mineiros chilenos presos no fundo da terra. De que sentiram falta, o que os apavorou ou como se sustentaram tão bravamente. E tenho certeza de que se vai falar muito em comida.

Nos primeiros dezessete dias, antes de serem encontrados, não comiam nem bebiam. Imediatamente depois de achados, as "pombas", tubos de plástico, começaram a descer com quatro garrafas de água de meio litro cada uma e quatro pacotes de biscoito. Mais adiante, a dieta líquida, de 1200 calorias, foi elevada para 2 mil.

Não podiam comer muito para não engordar e caber na geringonça salvadora. Não era "Eu preciso caber neste jeans". Era quase "Eu preciso caber nesta vida".

No dia 1º de outubro, chegou a primeira comida quente e mais sólida, como arroz com almôndegas. Afinal, de tudo um pouco. Pão com queijo, carnes, sanduíches de presunto, geleia e frutas. Uma das filhas falava com os jornais: "Meu pai gosta muito de frango com abacate". Não chegaram a oferecer um menu à la carte, no entanto.

Não tenho como bancar a vidente, mas, pelos relatos de guerra, podemos suspeitar que a comida se torna muito importante, principalmente quando acontece alguma coisa que isola as pessoas de casa. E a comida de onde estão começa a ser uma parte essencial do "assunto" diário. É a sobrevivência, tanto psicológica quanto física. Mas as memórias, os sonhos e as fantasias são necessários para manter o contato com a casa e com a vida.

O que pode causar estresse mental é a falta de tudo o que é pessoal e particular. Em situações de viagem vocês já não se pegaram, logo ao chegar a um hotel, pondo flores no vaso, dependurando a roupa, pondo livros na cabeceira, guarda-chuva atrás da porta? Preparando o ninho? E a saudade que dá no meio da viagem do banheiro de casa, quando ele é dez vezes menos bem aparelhado do que aqueles da viagem?

A falta de individualidade pode produzir uma apatia total. Para quê? Por quê?

Prisioneiros de guerra, quando a comida é pouca, geralmente comem virados para a parede para não serem vistos. O comer deixa de ser social para ser sobrevivência.

Aposto que os mineiros devem ter dado apelidos aos potinhos de papa infantil que chegavam a eles. Começavam a reagir criando esperanças, dizendo coisas como "Quero viver só para sentir novamente o gosto de uma cerveja gelada, de um bife, do macarrão com carne moída da minha mulher". Ou "das minhas mulheres".

Todos os mineiros devem ter sonhado com a volta para casa. O poder das lembranças é enorme. A visão de um abacateiro carregado, a sopa quente no frio da cozinha, o choro das crianças.

Ninguém se lembraria de uma lagosta ao creme, mas sim da comida de casa quando era pequeno, amado sem restrições. Se a comida existiu na vida desses homens, não foi somente como motor de sobrevivência, mas também nas suas fantasias de gostoso, farto, cheiroso, tudo muito ligado ao colo da mulher ou da mãe.

coca-cola

HÁ SÉCULOS VENHO AGUENTANDO a cara de *verguenza ajena* dos meus amigos quando, ao jantar com eles, peço uma caipirinha e uma coca geladíssima, enquanto bebericam um vinho mais adequado ao que comemos.

Mas não tem jeito. Conheci a coca-cola quando tinha uns quatro ou cinco anos. Foi a vizinha, a mulher do seu Rutênio, aviador, que comentou a chegada da novidade, pelas asas da Panair. Só me lembro de que tinha gosto de sabão Aristolino, não é possível negar, porque todos achavam a mesma coisa. O sabão Aristolino, por sua vez, já era uma antiguidade líquida, da mesma cor da coca.

A bebida vinha acompanhada da ideia de felicidade, riqueza e americanos. Numa ingratidão sem fim, traímos o guaraná e aos poucos nos viciamos totalmente, com recaídas, numa bebida que achávamos ruim. Os mais velhos, não. Permaneceram patriotas. Na adolescência, o cuba-libre.

Acho que era falta de assunto, nossa vidinha de criança se resumia a escola e festas de aniversário dos colegas, com bolo, olho de sogra, ameixas-pretas com bacon ao forno, cajuzinho, pequenos sanduíches. O sanduíche-padrão para chás ou aniversários, ai, como éramos inocentes e espartanos naquela época, não passava de um retângulo de pão de forma branco, no qual se passava maionese feita em casa, claro.

O processo da maionese era lento e fascinante, o prato fundo, as gemas que misturávamos com o garfo, numa velocidade de processador de alimentos, despejando de vez em quando um fio de azeite sobre elas. A gema deveria incorporar o azeite, e só então mais um fio. Para afinar a maionese, suco de limão; para engrossar, mais azeite. E sempre corria-se o leve perigo de desandar. Pronta, era só passar no pão, bastante.

Como enfeite, usava-se um círculo de tomate que era recortado com a boca de um vidrinho de remédio. Fazia as vezes de uma flor, mais uma salsinha chata como se fosse o galho onde nascia a flor. Para acompanhar, muitos copos de guaraná morno.

Como foi a transformação da coca-cola em símbolo dos símbolos, não sei, tudo baseado em emoções certamente muito poderosas e profundas, o que está além da capacidade interpretativa de uma mera viciada. Entrei num site da empresa e fiquei até em dúvida se estava no lugar certo; parecia o site politicamente correto e verde de uma missão evangélica.

No livro *Os mímicos*, do Naipaul, ele mostra bem o efeito da bebida em Trinidad. Trazia empregos, glamour e riqueza, e era o tio do protagonista, por parte de mãe, quem misturava o xarope e engarrafava. O pai dele, professor pobre, não se conformava com o enriquecimento rápido da família da mulher e lembrava a todo instante que havia comprado leite na porta, vendido pela sogra, que puxava a vaca com uma corda e a ordenhava na hora, o leite jorrando para dentro de um balde da cozinha ou outro utensílio qualquer. E agora todo aquele ti-ti-ti de coca-cola pra cá, coca-cola pra lá.

Enfim, a bebida não é só um refrigerante; basta olhar a garrafa para assanhar teóricos em todos os campos. Pode personificar o que se bem quiser. Para nós, simples mortais, "eu tomo uma coca-cola, ela pensa em casamento, e uma canção me consola, eu vou… Por que não? Por que não?". Alegria da pura.

felicidade

DÁ ASSIM, DE REPENTE, numa dessas manhãs de primavera. Imagino que haja uma possibilidade de ser consequência da terceira idade, tipo "quem sabe é a última vez?", mas lembro que as crianças quase sempre têm esse dom de usufruir um momento de perfeita felicidade. Todos têm.

Mergulhar no mar. Fazer xixi quando se está muito apertado. Escrever o nome do namorado na areia úmida com um pauzinho. Tomar sol cálido numa tarde fresca ao lado de um amigo calado. Ter uma reunião de negócios cancelada. Deitar numa cama de lençóis trocados e limpos, muitos travesseiros, e saber que não há necessidade de acordar cedo no dia seguinte. Fazer uma receita passo a passo e tudo dar certo, bonito e gostoso. A sensação do dever cumprido.

Desci para tomar café. A casa vazia, as portas abertas, entrava um cheiro de não sei que flor, um jasmim comportado. Se tinha brisa? Claro. E uma roseira trepadeira cheia de flor, se enroscando no pé de louro alto e seco.

O pão fora deixado na mesa, fresco, recém-chegado da padaria, dentro de um guardanapo de linho e de uma cesta de palha. A manteiga era salgada, mas não muito, inteira, numa manteigueira de vidro americano da Grande Depressão. Não desta, da outra. Encomendei no eBay, paguei no PayPal.

Tinha mais coisa para comer, geleia de laranja amarga, coalhada, queijo, um chocolate em pó semiamargo para desmanchar no leite, mas, para mim, de manhã a bênção é café puro, um pãozinho francês e três jornais. No domingo começo com a *Folha* e depois passo para outros dois jornais. Que bom quando há tempo!

Os breves momentos de felicidade são assim. Tem a hora que você está varada de fome e cansada. E alguém, quando se menos espera, faz uma massinha mole, com um molho de tomate daqueles antigos, meio adocicado, com uma suspeita de canela e uma pimenta boa para avivar os sabores. Pimba!

São breves por não sabermos nos concentrar neles. Geralmente na hora do café, que é a única hora em que a empregada pode conversar com você, ela vem, fica em pé numa ponta da mesa e começa. "Dizque..." Para quem não sabe, o "dizque" é a introdução para o raconto de sonhos. Não se fala "Dizque estamos precisando de açúcar". Não.

"Dizque eu estava no sítio e a senhora apareceu muito magra, fiquei pensando, será que ela adoeceu?" A essas alturas, completamente hipocondríaca, já virei um feto apavorado na cadeira, o café esfriando, a manteiga derretendo no pão. Deve ser um sonho premonitório. Vou morrer. "Não, dizque a senhora estava com saudade do cachorro." Eu, com saudade do cachorro? Mas nem tenho cachorro!

Sentiram o drama? É só não deixar que os assuntos que não trazem a felicidade instantânea se misturem e cortem o barato da manhã com cheiro de jasmim.

café com pão

TOMEI CAFÉ DA MANHÃ e fui me sentar num banco duro lá fora, só para tomar um solzinho e me sentir dona da jabuticabeira, que, este ano, está dando mais que o pires de "fruita", como era de costume.

Fico até disfarçando o orgulho que sinto daqueles galhos pretos, era o que me faltava na vida. Ainda será preciso esperar uns dois anos para ela estalar de vez, em tlocs, plufs e nhocs.

Perto dela, tem uma arvorezinha parruda de pimentas negras, acho que são mexicanas. As pimentas parecem pitangas, ardidas mas frescas, fazem bem a qualquer comida.

Sem querer, fui moldando um quintalzinho caipira, com a ajuda do seu Antônio, que vem aqui em casa três vezes por semana e conversa com plantas e com bichos e divide a marmita que traz de casa com o cachorro. Planta mangarito, cará roxo, galanga, mas não sei se esquece o local ou as plantas não vingam, porque jamais consegui achar os frutos dessas plantações. Quando pergunto, embrulha daqui, embrulha dali, fala baixinho e me mostra o gengibre, só o gengibre.

Antes o jardim era bem bonito, com umas cutucadas da Suzana, da Bothanica, mas fui relaxando. Primeiro ganhei duas garnisés, tão comoventes na sua pequena burrice... Por mais amante de galinhas que eu seja, não houve como mantê-las soltas. Entram em casa nas piores horas, o desconfiômetro é zero, vivem em perpétuo estado de susto, à beira de um ataque de nervos. Põem os ovos mais lindos, menores do que os comuns e maiores do que os de codorna e gorgolejam, desafinam, gritam, compartilhando o espaço com duas tartarugas e alguns pardais comilões.

Sentada ali, vejo que a primavera fez umas flores modestas. Tem uns jasmins-do-cabo cheirosos que duas amigas inventaram de me dar no mesmo dia. Cresceram numa rapidez e cheiram muito bem.

A casa vizinha à minha era térrea. Foi vendida e construíram uma fora do gabarito do bairro, com três andares. Meu sol sumiu por algumas horas e todas as plantas espicham o pescoço o mais que podem para alcançá-lo. Uma roseirinha deu um cacho a uns três metros de altura, acreditem.

Ando louca por umas boninas de todas as cores. Até já tive, mas elas se espalham com tanta gula pelo chão que cortei tudo e agora meu coração fica pequeno quando as vejo florindo em outras casas.

Os sabiás são do tamanho das galinhas, pois comem ração de cachorro, milho e o que mais apareça. São gordos, barrigudos e não sabem o perigo que correm em casa de cozinheira.

E as maritacas ou maitacas. Barulhentas, passavam gritando em voo e se aboletavam num pau-d'alho altíssimo. Comprei umas sementes especiais para elas. Agora ficam à distância de um braço, naquela boniteza verde, descascando cada semente com o bico e aquelas garras de papagaio que têm. São buliçosas, olha só que palavra mais velha.

Confessem que isso parece um paraíso. Não. É um pedacinho de terra bem mequetrefe que eu embalo com os olhos e nem trato, deixo que ele cresça maluco e misturado, como um matinho da infância. Só falta mamona para fazer uns cachimbos. Vou providenciar.

almoço

NAS FÉRIAS, O ALMOÇO obedece a certo ritmo. É preciso esperar que todos cheguem, a cozinha a postos. O primeiro a sair do banho lê os jornais numa marquesa cheia de almofadas brancas que chamamos de UTI, pois é o pouso dos meio doentes que querem participar da confusão. Outro fica na poltrona, sem direito a amendoinzinhos ou uísque, talvez uma tragada de cachaça, que assim é o costume da casa para que não percam a fome.

Todos começam a aparecer de cabelos molhados pelos ombros, caras esfregadas, cheiro de sabonete Phebo. Os que preferem cozinhar e tomar banho depois sofrem com a areia dentro do maiô e a canga escorregando. Depois são privilegiados com banho de banheira, morno, e sabonete Floris, eterno e que não perde o cheiro.

Limpos de corpo e alma, os que vieram do mar parecem se sentir mais morenos, saudáveis, e se oferecem para abrir o vinho. Trouxeram consigo um pouco da energia do mar.

Os da cachoeira, que desceram a ladeira, equilibraram-se em pedras, agarraram-se nos ramos de patchuli, escorregaram no musgo e, de repente, sentiram aquela massagem de Deus nas costas, aquela surra de água fria, ainda meio ligados à experiência de pertencer ao jequitibá centenário, aos coqueiros e às pedras escorreguentas. Estão mais quietos, pensativos.

Na cozinha, o tlim-tlim da louça é baixo, espera ordens para subir o tom, para que tudo se precipite, se afogue, se aqueça, se alastre, se enrole, e que do caos brote a ordem.

A couve foi colhida pela manhã na hortinha. (Já pensaram se eu escrevesse aqui couve orgânica e sustentável? Acabaria com o almoço, transformaria tudo num clichê de plástico e mudaria o gosto da couve estrumada e regada.)

Um pó dourado de luz (coisas de Paraty) bate na pimenteira que teima em subir até a janela da cozinha todo ano. Magrinha, é quase uma trepadeira de pimenta de passarinho. Em um ano arde muito, no outro não.

As mulheres usam roupas claras, decotes, alças, shorts.

E, de repente, está na mesa! Não está, mas vai ficar em minutos, daí o corre-corre.

Aquecer o feijão, provar, fazer a farofa na manteiga, cuidado para não queimar, frigideira de ferro é um perigo. Vamos cortar o lombo gordo em fatias? Melhor não, cada um corta a sua.

Você corre lá e põe as bilhas de água gelada no aparador. A couve é a última, e ponha sal antes de ir à panela, senão ele não se distribui direito. E é só um susto, hein? O camarão trazido do mar leva seis minutos para fazer, deixa que eu faço que tenho prática. Quem quiser põe o caldinho no arroz, fica ótimo.

E o suco de mexerica do Rio?

O almoço foi longo, afogado em bem-estar, fartura e malemolência. Sandra traz o café na canequinha de ágata numa bandeja pintada de bananas. Detesto aquela bandeja, mas ela já tem uns vinte anos. Todos bebem, dobram as redes sobre si para evitar mosquitos, e até o que lia as notícias do dia se esquece delas.

Ah, a sobremesa eram bananas fritas com creminho de gema e suspiro por cima.

boêmia

CONTINUANDO A LER sobre Virginia Woolf, tenho me metido por caminhos de modernismo e subjetividade. E não é que me caiu do céu um livro? *Among the Bohemians: Experiments in Living 1930-1939*. A autora, Virginia Nicholson, é neta de Vanessa Bell; logo, sobrinha-neta de Virginia Woolf.

O livro trata das pequenas coisas, especificamente das trivialidades do cotidiano, dos hábitos dos artistas nos anos que antecederam a Segunda Guerra Mundial, uma fatia da sociedade bem afastada da sociedade britânica convencional, uma geração remodelando a domesticidade inglesa, desafiando o conformismo da burguesia e da aristocracia. A roupa, o sexo, as casas, os fundamentos da família, a mulher, o manual de domesticidade de 1700 páginas de Mrs. Beeton... Tudo estava sujeito ao escrutínio dos habitantes de Boêmia, um país imaginário, tatuado na alma dos artistas, refugiados livres, soltos para inventar o novo.

O relacionamento dos ingleses com a comida sempre foi cercado de certo puritanismo. Prazer e comida? Será? Orgulhavam-se patrioticamente da boa qualidade dos ingredientes, reconheciam os belos rosbifes, a honesta torta de maçã e a cerveja, mas...

Uma escritora, em suas memórias de infância, conta que reclamava das eternas e monótonas costeletas de carneiro, ao que a mãe retrucava: "Você tem as árvores, os passarinhos e as flores; a comida é o de menos!".

A aristocracia comia bem e muito. Mas era sempre a mesa se dobrando sob a caça farta e o excesso de pratos, coisa que também desagradava aos boêmios, que deram as costas às sempre rígidas regras e saíram à procura de uma dieta que combinasse com seus ideais de arte, verdade, antimaterialismo e... também com sua pobreza, algumas vezes até voluntária.

A inspiração vinha das viagens à procura do sol e da vida simples. Tudo era exótico, bastava não ser inglês. Para Vanessa Bell, todas as obras de arte francesa se equiparavam ao delicioso pão, às maioneses picantes, aos vinhos. Detestava a sofisticação das *paupiettes*, timbales, musses — queria a simplicidade rústica, o uso adequado dos alhos, ervas e cebolas, o torresmo de porco, o vinhozito de mesa barato e bom, estes sim, condizentes com os ideais boêmios de gente sensual, liberada e corajosa.

Do que se lembravam com saudade ao voltarem dos passeios? Uma refeição ao ar livre, um cordeiro assando sobre galhos secos de videira enquanto esperavam deitados na grama, comendo azeitonas ao funcho com pão e *poutargue*, tendo nas mãos taças de Châteauneuf du Pape. E tentavam recriar aqueles cheiros impossíveis de Paris, o alho, o azeite, o Pernod, o cigarro forte.

Harold Acton conseguiu aguentar a comida horrível da universidade fazendo ravióli ao sugo, passando manteiga trufada no pão, assando pizzas e sonhando com marrons-glacês. Dora Carrington, mulher de Lytton Strachey, aprendeu a cozinhar (coisa quase impossível para uma mulher, e ainda mais artista, na época). Coelho ensopado, lagosta, molho *velouté*, cogumelos refogados, risoto de amêndoas, salmão com molho tártaro, morangos macerados no kirsch, *crème brûlée*, zabaione...

Presume-se, pelos ingredientes que menciona, que havia dinheiro no cofrinho. Os mais pobres e que moravam nos subúrbios mantinham uma horta e um galinheiro, faziam pão em casa, em perfeita sintonia com a natureza. Os ovos, mexidos, com hadoque, escalfados, fritos, batidos, foram a salvação de muito artista urbano, esfomeado, no seu estúdio minúsculo munido de apenas um fogareiro. Sem esquecer o *pot-au-feu*, o cheiro forte de osso e legumes se enfiando por todas as frestas, mijotando dias e dias...

A hora da exasperação chegava, porque o artista passava fome, mas o que queria mesmo, e achava que merecia, era a melhor comida do mundo. Como escrever, pintar e cozinhar? "Estou acima das coisas materiais, tenho ódio de gastar meu tempo para me manter viva, quando todas as minhas horas deveriam ser dedicadas à arte. Mas, se não comer, eu morro", disse Katherine Mansfield.

O que é outra história, para outra vez.

café do leão

MUITAS PROMOTORAS nos telefonam pedindo um café da manhã para executivos. Tento convencê-las a não fazer pelo seguinte motivo: estou certa de que o mundo é dividido em pessoas que tomam café da manhã e aquelas que não tomam.

As que tomam não saem de casa sem um cafezinho e uma torrada, pelo menos. Logo, chegarão à festa com o café tomado. Outras não têm a menor fome de manhã. Nenhuma. E não vão ter às nove da manhã, quando serão servidos os sucos e os sanduichinhos.

Dirão vocês que o problema talvez seja meu, porque, para preparar um café às nove da manhã, os empregados saem de casa às três para chegar ao lugar onde será servido o *breakfast* às sete. Cá por mim, detesto acordar cedo demais e considero o despertador meu maior inimigo. Defendo os outros o que posso dessa infâmia.

Lembro-me da secretária de um amigo que foi designada pelo patrão a fazer um café da manhã por semana, lá no fim do mundo. E era pouca gente. O patrão era o Leão Serva, que nem sabe disso. E ela, Ângela, a menina medrosa.

"Ângela, não posso ir aí, nesse cafundó, fazer um café da manhã para sete pessoas. Prefiro te ensinar a fazer um café."

"De jeito nenhum, a senhora não imagina, são executivos importantes, nem mooorta..."

"Ângela, o que você come quando se levanta?"

"Ah, eu sou de uma família simples. Como um pedaço de pão com manteiga e queijo, um café com leite e um pedaço de mamão."

"E o que você imagina que essas grandes figuras comam?"

Eu ainda por cima não tinha dúvidas, pois o Leão, pelo menos enquanto menino, comia muito lá em casa e era o que vinha à mesa, sem frescura e com muito apetite.

"Ah, não sei... Sei lá..."

"Pois, Ângela, quase todos os brasileiros comem a mesma coisa de manhã. Tem padaria aí perto?"

"Tem. É uma padaria e tanto, o bairro inteiro vem tomar café aqui."

"Então, para começar, encomende os pães que você acha melhores. Manteiga salgada e sem sal, queijo de minas e um queijo prato. Aqueles queijos fortes não são muito gostosos pela manhã."

Vi que ela estava se tornando mais confiante com a ideia de que o Leão e os amigos comiam de manhã como os demais mortais. Chegamos a umas frutas básicas, que não dessem trabalho para comer, alguma novidade muito interessante que ela achasse na padaria e pronto! Estava resolvida a questão, e o Serva não pagaria a viagem de um bufê até o Tatuapé, se não me engano.

Mais tarde, a Ângela telefonou, trêmula de sucesso. Tinha arrasado; eles comeram tudo e foram para a primeira reunião de bom humor.

Todo mês me telefonava pedindo uma ou outra sugestão sobre louça, talher, guardanapo. Passou para o café expresso, com uma jarrinha de leite ao lado, começou a fazer sanduíches pequenos de pão de miga com presunto e queijo, inovou nos sucos, fazia ovos mexidos na frente deles, numa espiriteira, e os servia bem moles, com o pão bem quentinho.

Fiquei uns tempos sem ouvir falar dela, mas um dia telefonou, dando risada de si mesma.

"Ah, d. Nina, a senhora nem sabe quanto é que me desenvolvi. Já fiz até café da manhã árabe para eles!"

Não quis me aprofundar na questão, feliz com o sucesso da aluna e temendo que ela já estivesse saindo dos conformes. Só sei que salvei a brigada de levantar às três da manhã, desmitifiquei o café da manhã dos executivos, sabendo que aqui no Sul é a refeição mais democrática que pode haver, e enfiei a cabeça debaixo do travesseiro, com o maior gosto, enquanto a secretária penava nas madrugadas. Felizes da vida, nós duas.

meu cachorrão

NUNCA TIVE UM BOM FOGÃO. A não ser o de Paraty, já com uns trinta anos de idade, profissional, de ferro, com grelha, banho-maria e o diabo a quatro. A firma fechou e agora está difícil achar peças para ele. Chamo de bom fogão aquela coisa sem frescura, sem muita necessidade de manual, com a qual se pode perder a paciência e fechar o forno com o pé por estar com o frango assado nas mãos. Aquele cujas medidas do forno permitem que as Sylvias Plaths em potencial se suicidem com toda a comodidade, sem que tudo trave para não escapar gás. Que não precise apitar para nada e que os botões não saiam na mão a toda hora. Um fogão macho.

Existem muitos fogões profissionais e bons, bem baratos, mas observo que são grandes demais ou sem forno, ou o forno simplesmente vem colocado na parte de baixo do fogão sem fazer parte dele de verdade. Mais ou menos o que eu queria, mas feios para danar. Há os grandes, profissionais e bonitos, mas só para restaurante mesmo, por causa do tamanho. Passeando pela Gabriel Monteiro da Silva, vi na vitrine um fogãozinho de ferro, bravo, quatro bocas, bocões, aliás; entrei, perguntei o preço. Era daqueles que você imagina que a vendedora enlouqueceu. Não quero um míssil, quero um fogão. Ou faz cara de paisagem, ou diz que está só passando e que volta outra vez. Escolhi a segunda opção, rosto onde nada se lia, e saí com todos os fantasmas do desejo nas minhas canelas.

No dia seguinte, fui convidada para um almoço e, como sou muito desorientada, só quando estava ombreando com o bendito fogão é que vi que havia sido depositada na mesma loja, onde seria o almoço. Demos risada, a vendedora e eu. Contei ao dono minha frustração e fuga, batemos um papinho, confessei que não tinha dinheiro para um fogão daquela estirpe dos vikings, almocei bem e voltei para casa.

Semanas depois, a vendedora me passa um e-mail, com uma oferta tentadora. Aquele fogão da vitrine iria para um evento culinário, o que faria dele, imediatamente, um objeto de segunda mão. Serviria aos chefs por um dia ou dois e com isso seria vendido pela metade do preço. E em muitas prestações. Huuuum...

Eu estava numa gastação de dinheiro sem fim, raspando, pintando, com uma mão de obra triste de ruim que trabalhava tudo em dobro. Pinta, raspa, pinta de novo, essas coisas. Tudo piorando em vez de melhorar. Bem, nesse ínterim, a vendedora, Andréa, doce loira, me tentava. Geralmente resisto a tudo em matéria de consumo, tudo, menos à Amazon, a algumas bolsas e a e-mails delicados e bem escritos. Aí, confesso, fico fraca.

Acreditem, ela me vendeu um fogão viking de uma tonelada, quase de segunda mão, o que não o diminui nada em matéria de tonelada. Tenho que confessar que passei vergonha, porque as portas da cozinha são estreitas, e não havia jeito de o nobre viking adentrar sua nova moradia. Talvez demolir a casa, pensei, já presa irremediável do objeto de desejo. Resolveram de outro jeito. Demoliram o fogão e montaram de novo lá dentro. Fingi que não era comigo, me escondi no quarto, e minha filha tomou as providências.

Bom, estão avisados. Sou a feliz possuidora de um fogão que deixa todos os outros no chinelo, solta fogo pela ventas, como o lobo dos três porquinhos, ferve a água num minuto, tem forno de convecção, grill e o diabo a quatro. Para testá-lo, pus numa vasilha rasa seis pêssegos maduros, com um dedo de creme de leite. Em dez minutos, estavam macios, queimadinhos por cima, o creme quase desaparecera, dando lugar a um caldo leve e cheiroso.

Se o viking tivesse rodas e passasse pela porta, eu andaria com ele aos sábados, pelo bairro, puxando pela coleira. Um bom fogão pode ser o melhor amigo do homem.

barulhos

PARA MIM É FÁCIL RECONSTRUIR o mundo pelos cheiros; já pelos sons, tenho mais dificuldade. Estou com saudade de Paraty e me dei ao luxo de ficar me lembrando do acordar sossegado, sem despertador, uma vassoura raspando a terra dura e a pedra do terraço. Como fundo, a cachoeira que não para nunca, o grito agudo de uns pássaros matutinos e uma cortina impenetrável de zumbido de insetos. Mais longe, a lenha crepitando. Mais perto, o acendedor de gás, umas tampas de panela desmontando, o leite fervendo na panela.

A casa é de madeira, e os sons atravessam as frestas como as andorinhas das cornijas. Um cachorro se coça na porta da cozinha e sai guinchando com um grito abafado de alguém. As galinhas e os galos se lixam para os que dormem e põem a boca no mundo, anunciando o dia e o ovo. A geladeira tem um zumbido peculiar, a torneira pinga e, de repente, o telefone toca, o coração dispara, deve ser o namorado da menina. É esse barulho de telefone que começa a nos preparar para os aviões que passam baixo e os helicópteros das férias.

O espremedor de laranja só para de zoar quando acabam as laranjas e as mexericas. E então se escuta o capim sendo ceifado, uma ou outra conversa de cavalos e de burros, abelhas, grilos, cigarras.

A mesa de café está sendo posta, os passos descalços vão daqui para lá com as xícaras e os pires. Na televisão, em São Paulo, de vez em quando aparecem as vinhetas para surdos. Qualquer barulho difícil — e quase todos os barulhos são difíceis de traduzir — eles escrevem "borborinho" (sic). Complicado, para os surdos, carros que passam, pessoas que conversam, fuga do lugar do crime, seis mulheres conversando, é tudo "borborinho".

Fico pensando se o sítio também não tem sons muito destacáveis, difíceis de serem separados uns dos outros, só um burburinho que não atrapalha ninguém. Dá para entender a água fervendo que explica o café, a máquina de moer os grãos ajudando na interpretação. Somos a audiência, os atores, os compositores nessa sinfonia doméstica doce e ritmada que não tem fim.

Os sons da natureza são harmoniosos; a chuva, quando cai num escândalo, dá medo, mas não é feia de se escutar, tem lá sua dignidade. Porém uma música a toda altura dentro de um barco no mar muito calmo e azul dá tontura. Quem sabe deveria haver uma faculdade que nos ensinasse a arquitetar os sons de uma cidade?

E ainda vai ter mão de pilão socando alho, faca afiando na pedra, feijão sendo catado, o processador virando as torradas em farinha de rosca, o bife chiando na frigideira, a casca do ovo se quebrando na tigela, o ovo sendo batido, a torneira pingando, a taioba batida com o facão e a tábua da salsa e cebolinha soando desequilibrada sobre a pia.

A banana vai fritar na manteiga para a torta, a porta do forno quebrada vai bater com força, se Deus quiser vai ter nhoct, ploct de jabuticaba, coco verde cortado para beber a água, o estalar da mordida da maçã, a melancia pesada rolando pelo chão, o som certeiro do facão eliminando a coroa do abacaxi, o tchiiii do frango grudando na panela, a massa do pão sovado, a prateada escamação do peixe, o estalo da ostra, um sugar humano de perninha de siri, outro de chupar caroço de manga, a salsicha boa que estala ao ser mordida, o tloc-tsssss da lata de coca.

A banana não faz barulho, descasca baixinho, mas o doce se arrebenta em bolhas. É bom, assim. Tem algumas religiões que procuram o silêncio e será que conseguem? Podíamos falar menos, evitar aquela gritaria histérica de propaganda tipo Casas Bahia, sorteio de barra de ouro, os "oops" de Big Brothers desassuntados, mas, não sei não, *le silence éternel de ces espaces infinis m'éffraie.*

severo e estevão

QUANDO COMPRAMOS O SÍTIO, os meeiros eram os antigos donos. De tanto que gostavam de lá, iam ficando à medida que a terra mudava de mãos. Seu Severo e seu Estevão.

Seu Severo era da cidade, se é que se poderia chamar de cidade a Paraty daquele tempo. Não aguentava o movimento e passava a semana na roça, que era o sítio, a dez minutos da cidade. Tinha lá um açougue, que deixava na mão de um dos filhos, e no domingo descia para visitar a mulher. Era um velho muito bonito, forte, olhos azuis como contas de gude, cabeleira farta e branca.

Seu Estevão era amigo dele. Acho que se conheciam desde a infância, e era o empregado e não era. Só se podia desconfiar que sim, pois andava sempre atrás dele. Morro acima, morro abaixo, conservava mais de metro de distância, numa hierarquia quase real.

O que faziam? Tudo. Dia após dia, era o bananal que tinha que ser cuidado como um navio. Acabado de limpar, era hora de começar. Usavam botas por causa das cobras, sempre respeitando a distância canônica de um atrás, outro na frente.

Tínhamos horta, nada de se orgulhar muito. Plantavam feijão e mandioca. A casa deles era daquelas típicas, muito branquinhas, janelas azuis, e o terreiro varrido à exaustão. E as poucas panelas rebrilhando e florzinhas espalhadas de um jeito que nenhuma paisagista conseguiria imitar. Eram tufos coloridos nascendo da terra seca, ora encostados na casa, ora sozinhos pelo caminho. Nunca cheguei a entender a estética das boninas nem daquelas marias-sem-vergonha.

Quem cozinhava era o Estevão, mas não soltava segredos. Ria com a mão na boca, ou melhor, sorria e miava qualquer coisa quando eu perguntava sobre o peixe seco dependurado no varal. O arroz tinha um bom toque vermelho, e o feijão era o mesmo que levava para nós, macio de tudo e dava um caldo grosso.

Uma vez me botei atrás do Estevão enquanto cuidava das galinhas para descobrir como é que sabia quais ovos deveria pegar. Ele, na frente, ia se abaixando, pegava o ovo, sacudia no ouvido e ou colocava de volta ou pegava. Explicações, zero. Eu tentava ouvir as profundezas do ovo, mas nada. Ele tinha uma língua que soava como latim antigo para mim. Em matéria de ovos, ele declinava: "Os óvi".

Nem dava para acreditar era no dia de fazer farinha. Serviço do qual seu Severo não participava, só o Estevão com a ajuda de alguém. Ele combinava como um cromo no meio daquela tralha de madeira antiga, até que surgia, no fim, recoberto de pó branco, cabelos, bigodes e tudo, e a farinha era fina e saborosa.

Seu Estevão morreu primeiro, na Santa Casa, aquela construção antiga junto ao rio, com a imensa árvore de fruta-pão de folhas abertas e espalhadas. À noite, a lua se planta ali em cima, e sei que o Estevão deve gostar de ver a cidade assim, lá no cocoruto do cemitério, com vista ampla do mar. Mar, que eu saiba, do qual ele nunca chegou perto.

O Severo não aguentou a morte do amigo. Foi definhando, mudou-se afinal para a cidade, apequenou-se. Já não achava graça em nada e morreu na cidade mesmo, respeitado por todos, pai de muitos homens e só uma filha, se bem me lembro.

ficção

meia verdade

VOU CONFESSAR QUE A COISA de que mais tenho vontade, num dia sem inspiração, é divertir e agradar os leitores com uma bela mentira. E o pior é que não consigo. Mas o espaço que tenho é de crônica, e a crônica não pede verdades absolutas. (Também, quem as tem?)

Minto, minto. Uma vez descrevi um restaurante brasileiro em Nova York nos mínimos detalhes do ambiente, as tábuas do chão, a música e a comida, é claro. Mas, no fim, me desmentia — era um lugar que eu gostaria que existisse.

Imaginem que dez anos ou mais depois recebo noivos para combinar sua festa de casamento. E vinham confiantes, de olhos fechados, pois ele abrira um restaurante em Nova York copiando aquele descrito. A crônica lhe dera ânimo para começar. Estão vendo? Às vezes não é uma verdade, mas uma falsidade que venta na vela dos navios prontos a sair mar afora.

E, além de tudo, a verdade não existe num campo tão subjetivo quanto o do gosto, o da comida. Por exemplo, às vezes as verdades parecem mentiras e as mentiras, verdades. Achei esnobe contar que, depois de um esforço desproporcional à minha vontade de viajar, não gostei do Noma. Quantas variáveis formaram minha crítica! O único casaco de viagem que perdera no aeroporto, a chuvinha cortante, os arrepios de frio, os espirros, os companheiros falando muito alto.

Já fui implicando com o vaso com arranjo comestível (brega demais) e o mesmo camarão que picava a língua de todo mundo. Não que eu tenha odiado, longe disso, mas senti na boca o gosto de déjà-vu, era uma história repetida à exaustão, nos mínimos detalhes. Como falar mal de um restaurante tão adorado? Não havia sido a comida, havia sido eu, o casaco, o vento, a vodca excessiva. Se eu falasse a verdade, estaria mentindo.

Comida é um assunto perigoso, e só nós humanos temos preferências arraigadas e conscientes. O que eu quero dizer é que mesmo falando a mais profunda das mentiras estamos incluindo numa crônica todas as verdades que estão em nós, naquela hora, naquele momento, numa vida inteira. Verdade ou mentira numa crônica são quase a mesma coisa, se confundem.

Fui ao bairro da Liberdade num dia quente, de festa. As ruas cheiíssimas. Procurava um líquido que amacia os patos, coisa difícil de explicar a quem não fala português. Afinal achei, numa casinha esmagada entre dois prédios e que funcionava como loja, restaurante e moradia — pois havia uma mesa redonda no centro onde umas dez pessoas almoçavam, se revezando. Claro que fiz cara de fome de bolinho de cará recheado, frito na hora — era o que acontecia no fogão. Convidadas, sentamos, minha cunhada e eu, e fomos servidas sem mais.

Uma pimenta forte por cima e era o céu. Não sei se foi a fome, mas os bolos eram secos, sem gordura, com aquela casca crocante por fora e o miolo macio. Havia arroz, que não comemos, muito branco, meio grudado. E verduras cozidas em *steamers* de bambu. Não é o que eu chamaria de um restaurante descolado, mas uma comida! Tentei encomendar os bolinhos ainda crus, mas o desencontro de línguas era grande. Verdade ou mentira?

a portuguesinha

ERA MULHER, AINDA JOVEM, quase uma miúda. Vinha vestida de freira. Largou o cesto de laranjas que levava dependurado no braço e deixou-se cair à beira do riacho. "Não se me dava sentar só um poucochinho", murmurou, enquanto desamarrava suas botas de cordovão preto.

Olhou para os lados, como se medrosa, e persignou-se. "Ai, que louco alívio!" Enfiou os pés na água e espichou bem as pernas. Sentiu que a alma se lhe esfriava toda.

Monjas, boa lhe tinham aprontado! Queria era estar ao pé da mãe, a fazer a açorda dos "hómes" com migalhas e "coivinhas", e não morar ali, a última das criadas de oitenta freiras, a mais escrava, a ouvir sermões e matinas e vésperas que não tinham fim. Se fosse só ir à missa louvar o "Senhorzinho"... mas era o trabalho pesado da doçaria que a matava aos poucos.

Gostava da cozinha, mas é que ali havia que se deitar açúcar em tudo, parecia que as monjas nas suas fidalguias desconheciam o sarrabulho, a linguiça, o toicinho de fumo. "Ai, cá me benzo. São lambareiras, vossas servas!"

Trouxe de volta à terra um dos pés e o massageou com furor enquanto rezava pela alma do tio que a trouxera "pó" convento. "É que não sabia o tio das modas, imaginava ele que as monjas passavam o dia a rezar e fazer doces e caridades. Será que o modo de nomear os doces não bastara para alertar o tio? Bolinhos de amor, orelhas de abade, beijos, lérias, velhotes, papos de anjo, barrigas de freira! Ah, deixa-me rir!"

E a ela, pois, tocava-lhe avivar o lume, arear as panelas, arrancar do fundo a grossa calda de açúcar queimado. E mexer ovos, mexer ovos, pois as pastas de ovos, antes que arrefecessem, enchiam-se de "gadanhotos", estragavam-se.

Com os braços doídos, à noitinha nem rezar a Deus conseguia. Exausta, sonhava com o bater das cascas nas bordas da vasilha, separando a clara das gemas. E a madre despenseira sempre a vigiar e a ralhar por dá-cá-aquela-palha, a suspeitar que surrupiavam o açúcar. Ralhava-se sem razão, pois não lhe ocorreria fazê-lo jamais. Só de pensar em doces tinha náusea.

Pândegas eram as monjas, a se entupir de doces nos dias magros, a convidar gente a comer, a saírem "pá" fora do convento quando bem se lhes dava na telha, a palrar nas janelas com quem passava, seus cabelos empoados. Dela, a camponesa, cortaram as madeixas no primeiro dia, nada mais comia do que uma ração ordinária, um pão com marmelada na merenda, um pouco de guisado que sobejara do almoço, uma bolacha a trincar.

E quem é que ia ao pomar, ao moinho? Quem carregava às costas os caixotes de doces que partiam para todo o reino com os mimos? Mimos daqui, mimos dali. Quem descascava as castanhas para o leite com castanhas dos pobres?

Cantarolou baixinho, absorta. Vedes o maio, mocinhas, vamos à caixa das castanhinhas. Começou a enxugar os pés na barra da saia de baetilha e a folgar os cordões das botinas para calçá-las sem dificuldade.

"Macacos me trinquem, Senhor, se eu não faço mais virtudes, a me esfalfar, do que elas a darem de comer ao bispo. Às vezes, Senhor, fico dando tratos à bola, caracolando ideias nesta minha cachimônia, que chego a perder o sono. Aí, rezo. Sei que a Deus Nosso Senhor o devo, não me faltes. E um dia desses queria oferecer pó Deus Menino uma sopa dourada que a avó me ensinou. E lhe apeteceria comer toda, tão boa é, iria a ela como são Thiago aos moiros... Uma sopinha de Jesus babar, achar de truz, d'arromba, regalar-se e premiar-me com um sitiozinho aos céus!"

Levantou-se, pegou a cesta e com a mão vaga começou a desfiar o rosário, um pouco melado de calda doce, e, refrescada, foi andando em direção aos sinos.

a última ceia

JÁ ACORDAVA EM PAZ naquelas manhãs em que se pressentia a primavera. Seu dia não começava com o canto do galo, mas com o cacarejar das galinhas, com seu ciscar nervoso debaixo da janela, os pés raspando o chão com fúria. Lá, um dia desses, ia pegar a mais gordota e fazer dela um caldo de não mais esquecer.

Mas era quinta-feira e era o dia de Páscoa, da festa do pão ázimo. Melhor faria em saltar da cama e ir cuidar de seus negócios.

Tinha mais era que dar graças a Deus por ter alugado outra vez a sala grande para uma ceia. No ano passado, o dinheiro viera a calhar, comprara mantimentos e até um lenço azul-rei que continha seu cabelo grisalho e rebelde. Desta vez o filho arrumara os clientes. O milagreiro e alguns amigos, ao que sabia. Queriam, além das coisas de costume, uma bacia e um jarro de água. Fácil. O filho se encarregaria da comida.

Pegou a vassoura mais rija e saiu para a limpeza. Era a época em que renascia nela uma vontade de ordem, de botar tudo abaixo, varrer, varrer, de fazer uma enxurrada clara passar pelo meio da casa arrastando com ela cobras e lagartos e qualquer sujeira outra. Ufa.

Odiava Jerusalém naqueles dias de sacrifícios. A Palestina inteira baixava nas ruelas, nas tabernas, invadia o templo, o mercado, ria, cantava, brigava, tudo muito alto, muito brilhante, um exagero. Risadas de vários matizes que soavam estranhas aos ouvidos dela. E os guias chamavam os peregrinos com bandeiras vermelhas, suados, apontando o caminho dos túmulos dos profetas. Avalanches de lixo. Não era coisa para mulheres velhas, não era mesmo.

Agora, o pior não eram nem as gentes, mas os bichos. Todos aqueles cordeiros a balir desesperados, agoniados, o ar quente como o de um braseiro, pelos molhados de sangue coagulado, sangue por todos os lados, escorrendo em regos pelas pedras, sangue juntando-se em poças, um terror.

Até que o cheiro de gordura queimada não lhe era repugnante, longe disso. Há uns tempos haviam comprado um daqueles animais de rabo longo e gordo, um carneiro de raça diferente. Os donos atrelavam um carrinho de duas rodas a ele, que carregava assim seu próprio rabo para não o ferir nos caminhos esburacados cheios de pedrisco e terra encruada.

Tinha ganas de rir ao ver assim os pobrezinhos, mas todos sabiam que a melhor banha de cozinhar vem da cauda gorda. E do jeito que a preparava, então... Derretia a gordura num caldeirão grande com pedaços de maçã, marmelo e cebolas inteiras. Ficava um óleo grosso, fragrante, que fazia boa toda comida que fritava.

Ai, tantos pensamentos lhe vinham hoje à cabeça, havia que espantá-los para que o trabalho rendesse. Limpa a sala, era hora de forrar as almofadas e cobrir a mesa baixa. Tirou os linhos do baú, linhos cheirosos que de vez em quando abria ao sol. Passaria as toalhas a ferro. Parou, olhou, pensou um pouco e decidiu que gostava mais delas assim, marcadas nas dobras cuidadosas.

Desceu a escada que saía por fora da casa, lá de cima, do segundo andar onde estava a sala, e que levava direto à horta. Desceu até que lépida, mas de costas, segurando com força os corrimãos. "Xô, xô, galinhas, nada de querer entrar além da cerca, a comer meus verdes. Já me bastam os moleques, nestes dias.

Saltam o muro para colher as alfaces, o agrião, o manjericão, os rabanetes e saem a vendê-los pelos olhos da cara para a ceia. Mas não as daqui de casa, seus marotos. Não as daqui."

Juntou um molho de coentro, o restante da chicória que as lagartas enchiam de furos e arrancou do mais profundo da terra uma raiz. Deixou a romãzeira por último. Quebrou com cuidado dois galhos fortes e limpou-os. Os homens espetariam o cordeiro em cruz e o assariam sobre brasas. Levava muito tempo a assar, e a carne se enternecia, tornava-se doce, quase soltava dos ossos, boa para comer com o pão e a verdura.

Haveria mulheres e crianças na ceia? Nos outros anos, sim, e um dia antes já a haviam convidado a festejar com eles. Bem, ficaria por ali, a ver.

Foi saindo da horta, fechou com cuidado o portão arruinado e viu lá longe os homens que se aproximavam como que curvados sob o peso do cordeiro e de outros apetrechos. Teve um arrepio fundo, de tripas, e correu a beber água fresca.

Pra lá doenças e arrepios. Dia de Páscoa, de esperança, de agradecimento, queria se arrebentar de ser feliz, de comer e beber e cantar hinos.

otelmo

SEMPRE TIVE HORROR a entrevistas. Já me aconteceu de passar hora e meia tomando nota, e, no fim, era tudo balela. A casa, a mulher, os filhos, tudo mentira da boa. Agora confio mais nos sinais externos, na postura, nos tiques, na gagueira, no aperto de mão. Mas vou me devotar inteira a decifrar esse aqui, o chef está desesperado atrás de um auxiliar.

Cabeça grande, atarracado, cabelo louro, aço, de nortista. Moço e até bonito, firme, igual a uma árvore grande, bem fincada, uma realeza.

"Bom dia, senhora"

"Então, é de...?"

"Sergipe."

"Foi indicado pelo Laércio, primo da Silvana..."

"É. Namorei a irmã do Laércio. Ele me indicou porque meu pai era cozinheiro bom na terra dele."

"Era? Aprendeu com ele?"

"Morreu, só saí de lá porque morreu."

A essas alturas ficou nervoso, engrossou a voz, me pareceu até que envelheceu. Quase estraçalhou o boné preto que tinha tirado um minuto antes e que usava de trás para diante. Mexeu os pés, incomodado.

"Minha mãe casou com o irmão do meu pai, um cara safado. Não aguentei, tomei o ônibus pra qualquer lugar que fosse. Sabe como é, o pai tão bom, sabendo das coisas, tão dono do lugar e vem outro e toma conta de tudo."

Ele me desarmou com essa história, porque ninguém inventa uma coisa dessas de uma hora para a outra...

"A profissão de seu pai era de cozinheiro, mesmo?"

"Profissão mesmo, não. Gostava. E, quando tinha festa, um chamava daqui, outro dali, pra fazer um cabrito assado ou de panela, e ele foi ficando cada vez melhor; às vezes, passava mês fora de casa, de cabrito em cabrito."

"E você rodando com ele."

"Não, ficava com mãe. Mas aprendi o que pude. E, agora, depois que o pai se foi, fiquei nervoso, cheguei a ver vulto, avantesma me incitando a coisa ruim."

Não era bem o perfil que estávamos procurando, não era. Mas falava bem, boas palavras, tinha presença. Podia dar certo. Fiquei pensando no que o teria empurrado com tanta força para fora de casa, além da morte do pai, porque morte de pai é normal, avô morre, pai morre, e a vida vai pra frente.

"Otelmo, essa queixa funda não é própria de sua idade... Mas fica. Vamos experimentar por um tempo, começa para mostrar o que sabe e vamos te observando."

Tomei mais uns dados, carteira nem tinha, e a vida de banqueteira, dispersiva que é, me tirou da frente o Otelmo.

De vez em quando, o chef de cozinha me falava bem dele. Como cozinheiro. De resto, me dizia, era uma catástrofe. Um homem deprimido. Só falava na terra, no pai, que construíra um bodódromo, essa era demais, um bodódromo, um lugar cercado onde se fazia cabrito, bode, de todos os jeitos possíveis. Vinha gente de longe, formavam-se filas, o cara foi ficando rico, deu estudo para os filhos, tudo à custa dos bodes das pirambeiras inóspitas.

Resolvi chamá-lo de novo, era melhor prevenir do que remediar.

"Como é que vai, Otelmo? Soube que anda com as bochechas assadas de chorar. Para mim, deixou namorada pra trás. Ou mulher."

"Deixei, sim, senhora, já contei da primeira vez que cheguei aqui. Mas não é o motivo, não. É que acho tudo tão triste e sem graça! Aquela história que me come, o casamento de minha mãe, antes mesmo que o corpo de pai esfriasse. Minha mãe não honrou a memória de pai. Mas não se preocupe a senhora, não, que hei de fazer passar do peito essa coisa ruim."

Dei uns conselhos em relação à brigada. Não fale demais, não entre em discussões nem em confronto direto com o chef, venha aqui nos dizer antes o que o incomoda, cuidado com gastação de dinheiro agora que foi aumentado, e nada de emprestar ou pedir emprestado, perde o amigo e o dinheiro.

E lá se foi ele com a mesma cara deprimida que Deus lhe deu.

Fizemos um casamento audacioso para uma noiva das mais modernas, só de cabrito, purê de brócolis, polenta de semolina branca com um pouquinho de alecrim, uma couve fina frita à chinesa, crocante, e foi um sucesso de verdade. Quem comandou a cozinha com muito garbo foi o Otelmo, sempre de cenho carregado, apesar da infinita gentileza com a qual tratava os ingredientes. Na época, achei que, pela primeira vez na vida, uma entrevista tinha dado certo, ele era um cozinheiro de verdade.

Não há bem que sempre dure, nem mal que nunca se acabe. Logo depois começaram boatos na cozinha de que o menino enlouquecera. Falava muito, sem nexo, mas até que havia método em sua loucura, dizia coisas sábias, mas completamente fora do contexto. Impertinente, respondão, podia contaminar o pessoal. Teve que ir embora.

Quando Silvana saiu de férias e foi visitar a família, voltou com notícias bravas de Otelmo. Muito bravas, terríveis. Ele chegou lá, procurou a namorada e, em vez de pedir-lhe a mão, quase acabou com a vida dela, rogou praga, a coitada definhou e acabou se suicidando no riacho onde batia roupa, tudo por loucura de perseguição dele.

Otelmo obedecia a vozes, acabou tudo com uma matança geral no bodódromo, foi-se o tio, a mãe, o irmão da namorada e ele próprio. Saiu em todos os jornais, vingança, vingança em letras garrafais. Vingança ou justiça de Deus, remendou Silvana.

Peguei de herança o caderninho dele, rabiscado, mas com letra boa. Guardei, meio arrepiada, sem saber se acreditava naquela história toda ou não. Na capa ele escrevera: "Uns precisam velar, outros dormir". Mais adiante, "o homem pode sorrir e ser infame".

Não entendi bem, nunca entendi muito bem o Otelmo. Só sei que deixou boas receitas de cabrito.

o rei do milho

SÓFOCLES ANTONIN (Piabanha, 1946), como todo mundo sabe, inventou a versão brasileira do pastel de choclo (torta de milho) e a arraia frita sem cheiro de amônia. Agora, já cinquentão, é um homem magro, cabelos grisalhos, pimenta preta, pimenta branca, de rabo de cavalo bem puxado para trás. O rabo funciona como atitude. Ainda quer fazer alguma coisa na vida, não dependurou as chuteiras, é um toque diferente para a idade.

E confirma isso, pois acabou de abrir um restaurante novo, quando todos o pensavam aposentado. O Coscorão, que vai usar mais para se divertir do que para trabalhar, pois está bem de finanças, sócio majoritário da cadeia Flório.

Quando moço, Sófocles trabalhava fazendo bicos nos hotéis de Águas de São Pedro, mas tornou-se amigo de dois estudantes do curso de culinária e, depois de muitos guias, muitos mapas, muito dinheiro pedido a tias velhas e mulheres moças, um dia saíram para Nova York com o dinheiro pouco, mas que parecia o bastante. Uma parte dele eram as mensalidades mandadas pelos pais para a conclusão dos cursos de cozinha dos estudantes com os quais fizera amizade.

Segundo as más-línguas, até o sopão comunitário da rua 36 tiveram que tomar. Mas não há bem que sempre dure nem mal que nunca se acabe, e um dia viram-se instalados no Midwest com sua fartura de doce milho. Fizeram curau, pamonha, canjica, espigas ao natural. Passavam noites enrolando a palha fresca do milho em pequenas vassourinhas, amarradas com barbante verde e com a ponta desfiada para passar a manteiga e o sal nas espigas.

Sófocles, o mais cigano, não aguentou por muito tempo a feitura dos tais espanadores, que por sinal eram lindos, pareciam coisa da Tailândia, e tratou de voltar para a terrinha com o savoir-faire de Illinois, Estados Unidos.

Começou com uma barraca na estrada de São Paulo-Jundiaí, que premonitoriamente chamou de O Imperador do Milho Verde. Ladrilhou de cima a baixo com as cores da bandeira brasileira, chão verde e paredes amarelas, e o nome estrondando em néon bem na frente, onde nenhum caminhão o deixasse de enxergar. Na frente, um tonel de vinho num caramanchão que jorrava copos e copos grátis aos fregueses.

Logo depois inventava o prato que seria seu carro-chefe, fruto de uma passagem pelo Chile na volta dos Estados Unidos. Não era nada que fizesse o Ocidente se curvar, simplesmente uma cumbuquinha dessas pequenas, de feijoada, com uma carne macia, cortada em tiras bem finas e ensopadinhas, temperada com sal, cominho, alfavaca, pimenta. Sobre a carne, rodelas de ovos cozidos duros, poucas, azeitonas sem caroço, uma camada grossa de milho fresco, ralado com a casca, um pouco de leite e creme. Um creme de milho, enfim. Espetadas no creme, só com as canelinhas de fora, coxas de galinha já cozidas. Por cima de tudo, uma pimenta vermelha e açúcar polvilhado (importantíssimo), e forno para dourar.

Que um homem possa enriquecer com uma cumbuca de carne, frango e milho... Pois enriqueceu. Vendeu mais tortinhas dessas pelo Brasil do que Roberto Carlos vendeu discos.

Da arraia desistiu, porque era um peixe complicado. Tirava-se o cheiro de amônia e alguns clientes reclamavam, porque gostavam como era. E tinha que ser extremamente fresco, o que já complicava o transporte em grandes quantidades. Que essa parte ficasse para os pequenos, ele era grande, tinha olhar de lince, melhor pensar nos horizontes lá pra frente.

Foi aí que se associou à cadeia Flório, e hoje é feliz com sua fazenda de hectares e hectares de milho, gado de corte e galinhas.

Não esconde um brilho no olhar quando comenta o restaurante novo, ele que esteve a pique de largar tudo numa aposentadoria precoce. É um novo conceito, cozinheiro na sala, de alto toque branca frigindo ovos, orientado pelo cliente. Um restaurante interativo, diz ele, pequeno, mas já enxerga chapéus e chapéus altos de cozinheiro, em filas sem fim, ovos rolando pelas esteiras, clientes aos borbotões.

Sorri, assim, meio para dentro, sacudindo as moedas no bolso, um tique que adquiriu quando ainda freguês do sopão americano. Ah, e por falar em sopão, já está providenciando um, feito com os ossos do pastel de choclo, na Estação da Luz, junto da sala Júlio Prestes.

a velha

PARECIA BORBULHAR em calda rala na varanda branca. Limpinha, tratada, cheirosa, lúcida. Mas a casa não era dela e zumbia, tinha avesso. O calmante estava lá na prateleira das compotas, mas calmante não adiantava para bruxice. Caduca nada, como via no rosto das noras, ela adivinhava um tanto de coisas, adivinhara até a morte de Archangelo, coitado. E essa casa zumbia, sim, e ela se arrepiava toda com medos, presságios. Foi sempre desse jeito. As coisas não eram só coisas, eram mais, sempre existiram mais.

Queria dormir, o lenço no pescoço espetava, puxou com força, doeu na pele. Dava tanto medo, ninguém via, só ela tinha aquele olho grande, os pedaços de preto se descolavam em arrepios, se perdiam no branco, estatelados, como bruxas batendo nos vidros. Morcegos, asas recortadas de preto e nojo. Noite viscosa, preta, morcego voando no forro.

Que enjoada que ficava só de pensar naqueles morcegos com canelinhas finas. E mais enjoada ainda com o cheiro de doce. Poços de Caldas cheirava a compota. Compota de cidra, precisava pôr todas num saco de farinha, amarrar as bordas e dependurar no rego. Três dias de água passando, limpa, o amargo da cidra sai. Compota de manga, cortar em talhadas grossas, calda rala, as fatias escorregam, sumarentas. Tossiu, tossiu, um cheiro de terebintina na casca. Pêssego verde, aferventar com a cinza do fogão que a penugem sai.

O bom da goiaba é que se pode comer a casca. Ácida, fresca, até dói o queixo. Sempre tinha achado a cor da goiaba a mais bonita que tem. Doce de goiaba em prato fundo com leite gelado ou natas. Começou a sentir fome, mas fome de compota, e não de mingau, nem de banana amassada com farinha branca de remédio.

Cabeceou de sono, mal-estar, dormiu um pouquinho e acordou de cabeça leve, escutou o trote dos cavalos, o cheiro de jasmim, calma amarela, a bulha dos passarinhos, fogo de lenha, cinza, toicinho, bafos de cheiro. Passou a mão pelo rosto quase sem rugas, mas as mãos não eram dela, tinham manchas grandes, veias altas, os tendões pareciam querer romper a pele, as unhas recurvas, e que força, podia até matar alguém, se quisesse.

O avesso era preto e o direito era branco, o dia chegava com o leiteiro, ela tomava banho e ficava sentada na varanda com cheiro limpo de limão. Limão do tempo do entrudo, faziam bolinhas de cera até tarde da noite e enchiam de água de limão e estouravam no corso.

A enfermeira amolava como uma sombra de anjo, preta vestida de branco. Tinha ódio da petulância daquelas negrinhas. Imagine, botar o nome de César no filho sem pai, o mesmo nome do filho dela, foi uma dificuldade no cartório, mas trocou o nome. Ficou Octávio-ex-César por causa da menina. Por isso tinha feito uma cozinha pequena, só dela. Fazia seus sequilhos, tortas, com mãos brancas de farinha, assava as nozes fingidas, presuntinhos.

Ia tudo tão bem na varanda, até que o céu se enchia de urubus, lembravam o preto, o abafado, sem teto. Nas pontas brancas de suas asas, traziam confusão, agourentos, espiando, desejando. Que calor pegajoso, estava dentro do vidro de compota de figo verde, querendo sair, os figos se abriam em sementinhas, polpudos, o gosto de figo verde sufocava. Soluçou, com raiva de não conseguir se desembaraçar da calda quente. Poços de Caldas era uma panela de compota no sol. Na calçada, passeavam casais em lua de mel, tão desajeitados, muita perna, muito braço. Ela passeava na praça da Igreja de São José, e Arthur tinha olhos castanhos cor de abelha, e riam tanto os olhos dele.

virginia

A MULHER, MUITO BONITA, se sentou à cabeceira da mesa, olhando se todos os pratos estavam nos seus lugares. Pediu ao casal de namorados que se acomodasse ao seu lado. Eles tinham aquele amor entre eles, ela só tinha aquela mesa comprida e arrumada, com os convidados prestes a jantar o seu famoso *boeuf en daube*.

Lá na cabeceira, o marido de cara enferrujada. O que seria desta vez, meu Deus? Pouco se lhe dava, de repente tudo pouco se lhe dava. Nas férias, eram sempre os mesmos convidados. Os amigos do marido, ou melhor, alunos dele com as cabeças cheias de filósofos, e a pintora do quadro que nunca era terminado.

Aproveitou o serviço da sopa para aceitar nos ombros e na alma o cansaço de ter que manter a mesa alegre e unida. Sentiu mais uma vez a esterilidade dos homens, a dificuldade que tinham para juntar as pessoas, fazer com que uma refeição pulsasse com vida. Sempre era trabalho das mulheres.

O orientando caçula só faltava morrer de tédio. Tudo aquilo, o jantar, as pessoas sentadas falando de coisas que não o interessavam em nada! Adoraria estar no quarto, lendo. E o que adiantava aquela conversa tola? As relações humanas eram uma ficção, jamais se conheceriam profundamente.

A mulher pediu às crianças: "Acendam as velas". Pronto, as velas acesas na mesa destacaram o arranjo de centro. Era uma simples tigela cheia de pêssegos de um vermelho-amarelo-rosa nunca visto. Não quisera mexer muito neles, só um toque e um galho de melindre bem tenro. Úmidos, como se houvessem absorvido um pouco daquele vapor de maresia que se estendia pela costa inteira.

A cozinheira entrou na sala trazendo um cheiro de azeitonas, azeite e molho. Levantou a tampa da panela de barro com a comida que levara três dias para fazer. E a mulher pensou que escolheria o melhor pedaço para o orientando, enquanto o sentia alheio a tudo. Olhou para as carnes, o louro, o vinho. Sentiu um calor no rosto, um desejo, haveria de fazer daquele ensopado uma celebração. O noivado do casal de sobrinhos. Haveria coisa mais forte para ser celebrada do que o amor de um homem por uma mulher?

"Está maravilhoso", gemeu o orientando. "Com que diabos conseguem fazer um jantar como esse nos cafundós de uma praia deserta?"

Ela se sentiu acarinhada. "É uma receita da minha avó, receita francesa, é claro; só os franceses dão valor exato a uma carne bem-feita, no ponto certo."

"André", disse ela ao filho, "levante o prato para eu não derrubar o caldo na toalha."

O *boeuf en daube* fora mesmo um sucesso. Todos repetiram, apaziguados.

O orientando mais velho perguntou a ela se queria um pêssego. "Ah, não, não quero" — na verdade, esperava que ninguém comesse um, para não destruir o momento captado sem querer. Toda vez que acertava um arranjo de mesa, baixava nela uma serenidade doce. Mas o jantar acabara. Espetou a ponta do guardanapo debaixo do prato. Ainda era preciso levar a vida em frente. Do seu lugar, observou os convidados se levantando, alguém apagando as velas. A configuração total das pessoas e do lugar mudara. O jantar já era o passado.

o que eu faço pra janta?

NUNCA CONTEI MEIA MENTIRA. Sempre me sinto obrigada a declarar a verdade, nada mais que a verdade. De bobeira, porque crônica é crônica. De repente, na mesa do café da manhã, lembrei-me de uma historinha que juro com os dedos cruzados que é verdadeira. Esta:

O telefone toca e o filho atende. "O quê? Mamãe no hospital? O que foi, Jamile?"

"Não sei, liguei para ela, deixei tocar até estourar e nada... Fiquei preocupada e dei um pulo lá. Estava na cama, com as pernas jogadas para fora... e quase morta, Antônio! Coisa mais absurda, tinha tomado uma overdose de calmantes e, se eu não chegasse, acho que ia morrer lá, sozinha. Sem um filho ou alma penada por perto. Já está melhor, mas chamei a ambulância. Ela vomitou as tripas e está aqui no hospital. Dá para entender? Ela, que nem toma o remédio todo dia, para dormir foi de caixa inteira!"

O homem desligou com o coração miúdo, desacorçoado com a tristeza da mãe, puxa, não estava dando atenção suficiente, a vida é fogo, cada um se enfia na sua e nem olha para os lados. Mas ela até que tinha a vidinha dela no apartamento, as amigas, jogo, os casaquinhos de tricô, o trabalho de voluntária, as novelas... Jamais pensaria numa coisa dessas da mãe. Jamais.

Foi para o hospital voando, a mulher correndo atrás, e suspirou aliviado quando viu os cabelos azuis da mãe sobre o travesseiro. Roxos, azuis, a cor do xampu que ela usava. Sentada na cama, um sorriso na cara.

"Mãe!" Beijou o rosto dela todo, ainda encafifado, com vergonha e medo de falar no assunto tão complicado. Suicídio é uma coisa que não envolve só a pessoa, até os vizinhos recebem uma carga de culpa. Nem precisou começar: comendo a gororoba do hospital com gosto, ela sussurrou qualquer coisa, como "Preferia ficar aqui e nunca mais passar por outra dessa...".

"Que outra, mãe, tá falando do quê?"

"Daquela empregada, a tal da cozinheira! Falou que não sabia cozinhar, mas é mãe de três filhos, e a minha comida é a mais simples do mundo, um purezinho, uma salada, um ovo, nem carne como todo dia. Fui ensinando devagarinho a tirar o excesso de margarina, usar manteiga, não cozinhar tudo, gosto de umas verduras cruas. Odeio quando faço feira e ela lava tudo, pica e põe misturado num tupperware... Expliquei mais de cem vezes..."

"Mãe, a senhora não está se esforçando muito para contar essas histórias de empregada? Fica quieta, janta, e eu fico te olhando. Estou aliviado, você nem imagina."

"Não, tô bem. Diz o médico que eu quase morri, imagine o susto!"

"Como, que susto? A ideia de se entupir de comprimidos foi sua."

“Fui tomando sem querer, depois dos dois primeiros, e por pouco não foi aquele papelão. Não é do meu jeito, nunca fui dessas baixarias.”

O rapaz fez um sinal para a mulher, que resolveu ir ao banheiro. Quem sabe a mãe contaria o motivo, assim, sozinha com ele?

“E então, mãe, o que anda preocupando você a ponto...?”

“A ponto de me matar? Você não vai acreditar. Todo dia quando entro em casa, seja perto do almoço ou do jantar, alguma menina chega para mim, me olha dentro do olho e pergunta: ‘D. Alicinha, o que faço de jantar?’. Ou de almoço. Umas duas vezes eu disse que o problema era dela e que não queria saber desse assunto, mas ontem foi demais. Cheguei ao auge da irritação, todo dia, todo dia, acho que desde a hora em que cheguei da lua de mel com seu pai, uma coisa sem fim até o resto da vida. Queria morrer mesmo. É de sui-ci-dar, meu filho. Também aprendi que cozinheira não é quem faz um suflê maravilhoso, é aquela que sabe o que fazer para o jantar. Só.”

O filho tampou o rosto com as mãos. “Poooooorra, mãe...”

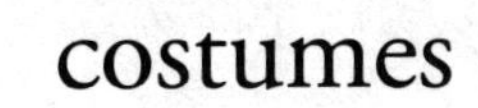

cabral e a galinha

SE ESTÁ INTERESSADO EM MODA vai perceber que os portugueses acharam nossos índios bonitos, galantes, curados. Hoje, sarados. Bem alimentados, pele luzidia, olhos brilhantes alegres, prestativos. Bem vestidos para a ocasião, ou bem desvestidos.

Já os portugueses seriam arrasados por qualquer estilista boa. Tanta impropriedade, impossível. Falta de bom senso. Era a hora tão rara dos bermudões e da sandália havaiana. Passavam por aqui sem compromisso, como se chega até Las Palmas?, para abastecer. Queriam água, se distrair um pouco, pescar uns peixinhos de rede e de anzol, lavar roupa.

Dizem que não tomaram banho. Duvido. O que ficaram fazendo no ilhéu da baía, em folguedos? Que folguedos, senão o de ficarem nus, bobamente se jogando água, correndo para a areia, comendo uns brotos de palmito ou do que seja, já que não existiam nem cocos nem bananas?

Cabral pisou na bola da moda. Nos trópicos convida os índios e se mete numa fatiota nova, escura, de lã fina ou baeta grossa, anéis nos dedos e longa corrente de ouro no pescoço, sentado em cadeira de espaldar em sala de candelabros de prata. Errou. Preocupou-se demais com as aparências, com querer mostrar poder. E os índios nem aí, donos da mata e das praias, singelamente nus.

Cabral, nosso altíssimo Cabral, mandou um espia degredado à casa dos moradores e viu que eram gente de poucas posses como as de entre o Douro e o Minho. Não se incomodou em agradá-los muito. Tinha os olhos fixos em Calecute.

De presente, barretinhos, boinas, guizos... e eles depois de os ganharem se esquivavam como "pardais de cevadouro", "uma esquiveza como de animais monteses". Teve foi sorte de encontrar índios de boa índole que não lhe furaram a barriga com uma seta para pegar o espólio. Dar barretinhos a quem possuía os mais belos cocares!

Bem, nessa hora de primeiros contatos acontece o inesperado. Os portugueses queriam ver a reação dos índios. Mostraram-lhes um carneiro, mas não fizeram dele caso. Mostraram-lhes uma galinha, quase tiveram medo dela, não queriam pôr a mão nela e depois a tomaram como que espantados.

Como é que se pode quase ter medo? E como é que índios acostumados com uma enorme variedade de pássaros haviam de ficar com frescura com uma galinha? Diremos que desconheciam a ave por ela ser da Índia. E daí? Nunca tinham visto um carneiro e não lhe fizeram caso.

É fácil imaginar o que aconteceu. Temos intimidade com este bicho que é a galinha, insegura, medrosa, cheia de incertezas. Vinha viajando há quarenta dias, cheirava mal, o pescoço já não tinha penas, coçavam-lhe os piolhos.

E o grande medo ancestral da morte, súbito, viscoso, a angústia Lispector veio à tona. Olhos miúdos de pânico, o que podia pensar a pobre coitada, enjoada do jogar do navio, viajando em quinta classe, segura pelas pernas, nariz beijando as alcatifas? Panela! Desandou naquele bater de asas fremitoso, no grito muito alto e estridente, no alvoroço, enfim no velho e conhecido escândalo das galinhas.

Os índios, é claro, se assustaram um pouco; quem não se assustaria diante do cacarejo? Bicho louco, pensaram, e quase tiveram medo dela. Quase.

"Deste Porto Seguro, de vossa ilha de Vera Cruz, hoje, sexta-feira, primeiro dia de maio de 1500." Explicando o Brasil...

E há ainda o mistério do tubarão pescado, do seu destino, de misteriosos palmitos que não eram palmitos, e de inhames que não eram inhames, que ficam para outro dia...

tordesilhas

GOSTEI DO JANTAR. Para falar a verdade, não estava pronta para ir. Dia cansativo, calor, trânsito; e para culminar, comer formigas...

O convite era da Mara Salles, do Tordesilhas. Ela trouxe d. Brazi, uma índia baré, de São Gabriel da Cachoeira, no Amazonas, que começou a fazer sucesso com sua culinária já na sua terra e tem nos visitado para conversas, aulas e, agora, um jantar típico.

Que corajosa a d. Brazi!

E a Mara também. Já pensou na trabalheira de se mandar para aqueles calores infernais, a umidade pesando nos ombros como se fosse a mão de Deus, absorver os ingredientes, imaginar como ficariam na mesa paulista, combinar a traquitana toda que viria lá na mala da d. Brazi, estilizar o não estilizável, gelar o que é morno, amaciar farinhas, inventar farofas?

Quando começam essas buscas por comidas brasileiras travo um pouco. Já passei tão animada por tantas delas... Já colhi jambu na calçada da minha casa, já trouxe mandiocas do sítio para usar as folhas, redescobri a Amazônia, falei em guará e guariba, em piranha e peixe-boi, tucunaré, pupunha, encomendei cuias, fiz tucupi, usei brinco de pena, fugi a léguas do cupuaçu.

Depois, novidadeiros que somos, sem possibilidade de comprar as farinhas, os meles das abelhas sem ferrão, a bochecha da queixada, o peixe fresco pingando de rio, isso é, sem fornecedores, vamos esquecendo devagar e começamos a balbuciar tapas e espumas, num enlevo grande por sereias de sonoras castanholas. As flautas e os cocares vão se tornando um sonho bom do qual saltamos antes de internizá-lo. Qual a solução desse problema? Se a produção é pouca, não chega às mesas; se é grande, atrapalha a cultura do índio. Nó cego.

Mas chega. É a hora da formiga. E acho que desta vez vai. Não só por nossa causa, por nosso interesse, mas às custas de muita gente esforçada. E, principalmente, por causa dos próprios índios, que também estão se descobrindo como índios, que já não se envergonham de papar sua formiguinha e de dançar aquelas danças tum-pam-tum-pam, mexendo os pés devagar.

Cheios de autoestima. Querem voltar a ser índios de verdade. Estão se gostando e estão na moda. Aqui e alhures.

Chegou a nossa vez, depois de quase todas as comidas do mundo se esgotarem. Acordamos de novo com o chibé da Mara. Acho que até um francês de nariz empinado ia gostar daquela aguinha gelada, refrescante, muito gelada mesmo, com cheiro de mato, de igarapé ao luar, de Ceci e Peri ao coentro com farinha ovinha. As coisas da Amazônia são antes de tudo cheirosas, dão a volta ao cérebro, embebedam e só se retorna do surto com o ardido da pimenta que tira o fôlego. O chibé é um gaspacho mais gostoso, um missoshiro finíssimo e de uma simplicidade a toda prova.

As formiguinhas não me pareceram estranhas, nem a textura nem nada. Sem drama. São assim uns minibuquês de tempero, sabem a erva-cidreira, gengibre e formiga.

Eficientes. Agora, sim, vamos acabar de vez com a saúva.

Sem esquecer a banana-ouro. A Mara cozinhou com casca,

levou ao forno para dar um tom queimado, abriu como um veleiro de brinquedo e pôs dentro uma bola pequena de sorvete. E aqui em casa, dependendo da pescaria de rio, vai ter todo dia quinhampira, que é um caldo de peixe fragrante de pimenta-de-cheiro. Bom demais.

Muito interessante essa coisa de se manter na mídia. É um piscar de olhos. De repente todos estão observando você e na semana seguinte já muitos se esqueceram. Dadá é um caso assim, chegou até a abrir um restaurante em São Paulo. Um dia sumiu, foi ficar fora de moda em algum lugar que escolheu, com certeza na Bahia.

dadá na moda

FIQUEI ESPERANDO por Dadá sentada à mesa de um dos restaurantes do clube, reservado especialmente para seus fogões e sua comilança. A mesa não passa de um pranchão coberto por uma tonelada dourada de camarões secos da Bahia, e à sua volta trabalham as ajudantes. O serviço é arrancar a cabeça e a cauda. Jogar a cauda fora, guardar as cabeças, mas primeiro retirar os olhos.

É um trabalho automático e feliz. Ploct, cabeça de um lado, corpo do outro, rabinho fora. Arrancar num gesto rápido os olhos, que vão se juntar aos rabinhos, no lixo. Enquanto isso se joga, também, conversa fora. "Conhece Elisa? É amiga minha." Fico ajudando, o mundo rola lá fora e aquela copa, aquela mesa, cada vez mais, são a Bahia.

O cheiro do camarão seco é definitivamente baiano, a intimidade generosa é baiana, feita de achegos, mansidão, carinhos, troca rápida de palavras mais altas, entre risos. E um ar que não sei definir, como de nobres mulheres, de raça orgulhosa, de um saber estar na vida, de uma alegria feita de singelezas e muita dignidade.

"Oi, negona, quer um avental?" É a voz de Dadá chegando, toda arrumada, cheirosa e gostosa. Turbante branco de noviça rebelde, vestido estampado, ouro e pedras. Virou estrela. Tem tanto jeito para estrela quanto para cozinheira, ou mais. E são duas profissões que não se dão muito bem, excluem-se, quase sempre. Gata Borralheira e Cinderela. Dadá vai dando conta das duas.

Dá ordens para as meninas sem tirar a risada do rosto, e começam a obedecê-la andando de lá para cá, sem alvoroço, do almoxarifado aos isopores cheios de gelo.

Dadá entende imediatamente o que quer a fotógrafa. Um fundo branco, luz e muito ingrediente difícil de achar aqui. Providencia mesa lá fora e manda cobrir com folhas de bananeira como se esse ritual de reportagem fosse diário. Deve ser. Agradece aos céus pelo sol que apareceu e beneficiou enormemente o dourado do dendê. As farinhas sobem, em montes, de puba ou carimã molhada ou seca, a farinha de guerra, o polvilho doce, o azedo, e o feijão-fradinho, o amendoim, o milho branco, o amarelo.

"Sumiu a arruda, esquecemos a arruda", lamenta-se nervosa uma ajudante. A arruda, a arruda! Sem ela o mau-olhado, o impuro. Dadá não bate uma pestana. "Veio. Não estamos vendo, mas o cheiro está aqui. Só pode ter vindo."

Pegamos um enorme robalo no gelo que ela arruma com gosto ao lado de camarões, lagostas e pitus.

"Dadá, chega de produção, me conte umas coisas. Que pratos vão fazer para o festival, basta de estrelices, vamos à história."

"Ai, um pouco de tudo, negona, um bufê enorme, farto, você vai lá e se serve de tudo e volta quantas vezes quiser." Vai me dando um incrível desejo de acarajés, de praia e de batida de pitanga. Disfarço tentando descobrir os fornecedores de tanto ingrediente bom. Sempre sonhei com esse dendê grosso, dourado, bom de tomar de cálice, como um vinho. E aqueles pitus de rio, de jereré. E sururus? Temos sururus?

A fotógrafa tenta o melhor ângulo do peixe, de pé, sobre um banquinho. Adora comer, mas se arrepia toda ao toque do pescado. Dadá me olha, cúmplice no amor ao bicho e ajeita com carinho o robalo rijo.

É o que mais gosto na Dadá. A sensualidade com que trata o que cozinha. Um prazer genuíno, um deslumbre com a beleza das escamas, o colorido de uma pimentinha rajada, o interior de nácar de uma concha.

"Eu trouxe carne também, negona. Carne-seca e carne de sol. Aqui vocês confundem. Carne de sol pode ser feita até em casa. Pegue uma alcatra, dê uns talhos, lambuze de sal, dentro de uma bacia. A salmoura escorre, aos poucos. Quando sentir que a água já mingou, dependure para escorrer, num lugar sem mosca. Logo vira carne de sol. Guarde no freezer e vá tirando aos bocados. Eu gosto frita na manteiga."

Daí em diante não consegui mais um olho no olho com Dadá. O pique foi aumentando, começaram a limpar os camarões frescos, a pensar no cozimento do polvo. O celular chamou de Salvador, era preciso me lembrar de mandar gravar a novela, a promotora da festa chamava de São Paulo mesmo, e quando me vi estava secretariando a Dadá. "Ah, Paulo, o marido? Tudo bem. Dadá está no outro telefone. Chegando... chegando..."

"Alô, meu nego. Ah, sei... não veio trabalhar... mas ela é do turno da noite, nego. Huum, entendi. Eles querem dinheiro pra cimento ou tijolo? Pergunte... pode dar."

Desliga e pisca para mim. "Coisa de mulher. A gente tem que estar em todo lugar. A grande mãe, o tronco. Sabe como é marido. Bom para democracias, lidar com povo. Bateu na casa, na construção, na cozinha, é com a gente mesmo."

Cozinha, construção, restaurantes, funcionários, viagens, repórteres, polvo, lulas fritas, é tudo com a Dadá, general de saias, de forno e fogão e garra. Isso foi quando estava na moda; um dia enjoou, largou tudo e foi pra Bahia ficar em casa e fora de moda.

os bobos

HÁ UNS VINTE ANOS, uma menina, amiga dos meus filhos, passando as férias em Paraty, viu d. Joãozinho montando um cavalo em pelo, as mulheres de maiô, sandália havaiana e sari de chita remando caiaques desbotados. Famílias passando as férias em casas de pescadores em ilhas desertas. Observou, ruminou e saiu-se com a pérola: "Isto aqui é um bando de ricos disfarçados de pobres".

Descobrira o conceito por trás da nova palavra da moda, o "bobo" americano, conjunção da primeira sílaba de *bourgeois* e *bohemian*. O novo termo saiu do livro de David Brooks, *Bobos in Paradise*, da editora Simon & Schuster.

A pergunta que o autor se faz é a seguinte: "Você é uma pessoa culta que nunca se importou demais com dinheiro. De repente, graças à economia da era da informação, vê-se dono de uma bolada jamais imaginada ou esperada. O problema é complicado. Como gastar tudo isso sem parecer com um vulgar e desprezível yuppie?".

O autor é um "bobo", você que lê uma coluna de gastronomia é um "bobo"... Os "bobos" são os jovens que aprenderam na escola e em casa que o consumismo exagerado era um mal e agora se encontram na posição de seus antigos inimigos, presidentes de uma multinacional, por exemplo.

Como ser novidadeiro, rebelde, espiritual, renovador com tanta grana no bolso?

O segredo está no estilo de vida. Ser *nouveau riche*, mas sem o exibicionismo antigo, sabendo aproveitar seu novo dinheiro com autenticidade, naturalidade, simplicidade, como o ser único, sensível e sincero que você é.

A casa de um "bobo" pode ser um loft em Tribeca; o carro, uma van quatro por quatro; a roupa, um estudo de informalidade. Mas como é a cozinha e a comida de um "bobo"?

Arquitetonicamente, a cozinha abriu-se, tomou todos os espaços térreos. Do terraço da frente, já é possível perceber o brilho das panelas de cobre dependuradas sobre o fogão profissional de seis bocas, banho-maria, wok embutido, grill, forno de convecção, forno para pão forrado de terracota.

A geladeira é subzero, tem três portas de aço macho, nada daquelas brancas de consumo de massa, e cospe gelo em cubos ou letras do alfabeto. Uma compra sensata é a batedeira com dezenove acessórios e a torradeira, escolhida com tal discernimento que durará provavelmente até o século XXIII.

Não se compra nada que seja símbolo de status. Abaixo Chippendale ou anel de brilhante. É bom jantar numa mesa de pinho onde, há duzentos anos, os antepassados matavam galinhas numa roça do Midwest.

A comida é simples. Nunca foie gras, trufas ou caviar. (Discordo do autor. Um verdadeiro "bobo" não poderia viver sem esses artigos básicos. Comeria fartamente com a família e bons amigos, mas jamais diria que estava de partida para comer as primeiras trufas brancas do ano. E criaria seus próprios gansos e suas galinhas de Bresse com matrizes importadas.)

Bem, compram asas de frango, como todo mundo, mas de frango caipira mais bem tratado do que Angelina Jolie num spa da moda.

Tudo o que é barato se transforma em caro para o "bobo". O café a 3,75 dólares a xícara, a água a cinco a garrafa, 9,95 por um suco de laranja e dois dólares por um talo de erva-cidreira. Mas o prazer das coisas orgânicas e simples, uma bela verdura de sua própria horta, trazem a satisfação moral de fazer a coisa certa para um mundo melhor.

Poderíamos refletir sobre os "bobos" na cozinha do Brasil, mas existem poucos tão afluentes quanto os americanos. Quando somos tão ricos, temos empregados às dúzias, que, de quando em quando, dão brilho às caçarolas de cobre, mas cozinham em amassadas panelas de alumínio que guardam debaixo da pia. O forno alemão profissional esquenta de uma banda só e a porta fecha mal, mas eles não reclamam com a patroa, evitando assim maiores aborrecimentos. Morrem de medo do telefone-rádio celular que lhes traz a voz do dono justamente na hora em que fumavam seu cigarrinho de olho na novela.

E outras histórias brasileiras que ficam para outra vez... bobos aqui, bobos acolá.

meninas da mauritânia

SONOLENTA, VEJO NUM CANAL PAGO, francês, um documentário que logo me acorda. Assunto interessante. Começo a prestar atenção, mas o filme estava começado, tenho que me contentar em unir os fragmentos soltos. Passa-se na Mauritânia, num bairro, ou numa vila, e as mulheres e as crianças se juntam em volta de uma guru que é tiro e queda para fazer engordar. Diríamos que é uma personal trainer de *gavage*, aquela técnica de empanturrar os gansos. Enfia comida goela adentro das adolescentes casadoiras até que adquiram formas rotundas.

Chega uma menina de uns catorze anos, esbelta, não magra como nossas modelos, bonitinha, e escuta um discurso sobre magreza, que os homens gostam de mulher gorda, que ela vai ter que casar e não é assim magrela que vai conseguir noivo.

A menina é submetida, com carinho mas muita disciplina, a beber leite de vaca e de camelo. Mas não é nem no copo, é numa bacia. Ela toma, toma, para, diz que não aguenta mais, tem que tomar mais um pouco. Às vezes põe a bacia no chão e bebe como um gatinho. As outras mulheres à sua volta estão enroladas em panos coloridos, amarram-se, desamarram-se, adoram aquelas roupas, se sentem sexy com ela, só meio rosto aparecendo, puxam o pano, sorriem, embaralham as contas do colar nos dedos. Mulher é igual no mundo inteiro.

Mas uma das mulheres tem uma aparência de professora da USP e é esclarecida, ou está esclarecida. Tomou nas mãos a bandeira de proibir a *gavache* das mulheres. Conta que a filha casou, foi viver longe e, quando ela a viu de novo, nem a reconheceu. A sogra e o genro fizeram dela uma porquinha redonda, que teve um problema de coração. Desde esse dia ela sai pelas ruas falando mal do costume de forçar as mulheres a engordarem. Engraçada é a reação dos homens, que querem bater nela, avançam sobre ela, chamando-a de traidora, irritam-se sobremaneira porque amam as mulheres gordas. O que vai ser deles?

As meninotas que já engordaram não parecem infelizes. É um costume tão arraigado, como a certa hora da vida fazer a primeira comunhão, ou crisma, ou bar mitzvah. Chegando a hora de se casarem, são confinadas a um quarto para comerem mais ainda e ficam lá cochichando, tendo ataques de riso e se cobrindo daqui e dali com as roupas coloridas e lindas.

O cineasta resolve ir ao médico do lugar, um senhor mais velho, culto. Uma paciente coberta de panos negros se deita de costas para o médico, na cama, sem nem afastar os véus, e ele tem que achar seu caminho através das infinitas pregas para sentir a barriga dela, que tem um tumor difícil de ser percebido debaixo das banhas. O médico confessa que não tem poderes para mudar o costume arraigado na cabeça dos homens, explicar que em outros lugares do mundo o conceito de beleza é outro e que aquela obesidade pode fazer mal. Diz ao cineasta que é uma região pobre e que rico é aquele que tem uma casinha, vacas gordas, tapetes, animais gordos e uma mulher bem alimentada.

Alguém comenta que também, com tanta roupa, ninguém percebe se a pessoa está gorda ou não. E a tal guru da USP diz que com qualquer *coup de vent*, golpe de vento, aparece tudo. Uma moça é filmada com uma bata transparente e o vento batendo nas pernas mostra a deformidade, as coxas em ondas, os pés mal aguentando tanto peso.

Claro que isso serve para muita vã filosofia. Podemos nos mudar todas para a Mauritânia antes que a guru sabida converta os homens. Ou podemos imaginar uma reviravolta em que um dia, na Mauritânia, todas estejam magrinhas, e nós rolando pelas ladeiras, alimentadas de chocolate, aplaudidas pelos homens, eleitas para comerciais de cerveja, barrigas cheias de leite grosso, amendoim, tâmaras e milho.

poderá gostar também de...

jejum

ATUALMENTE QUASE que só se fala em dieta. Jejum foi perdendo o sentido. Mas não custa lembrar. A menina de Capelinha dizia que na Coresma era hábito do pai contar histórias de arrepiar os cabelos em volta da fogueira. Acho, em livro português, Coresma em vez de Quaresma, Quadragésima. Como queria a moça, assim mesmo, Coresma. Pois, pois. Por que não temos mais jejum? Por que saiu de moda? Como foi que o costume, a regra, foram perdendo o sentido? Foi pena? Alguém tem saudade do jejum? Jejum de verdade, entendido, ritualizado, coisa de imitar o Cristo, Moisés, Elijah?

Nas Escrituras as várias alusões a comidas, jejuns e festas preparavam o terreno para debates sobre o que era melhor para o corpo e para a alma. Jejuar foi a resposta, abster-se, na época em que a cristandade queria separar alma e mundo, alma e prazeres da carne, como a boa comida.

Brigou-se muito sobre o que comer ou não comer. Os debates se resolveram em regras específicas e estritas que preparavam o rebanho para a Páscoa. Proibia-se carne, manteiga, ovos, às vezes queijo e leite. Não era fácil privar-se de tudo isso durante quarenta dias. Até as boas almas vacilavam.

É provável que os ricos pouco piedosos jamais tenham sentido na pele um jejum violento. A Quaresma, em fevereiro, março, era época de belos peixes gordos. Para os pobres sobrava a sardinha magra, fora de estação, e o santo bacalhau feito e refeito em milhares de receitas para espantar a mesmice.

Já não se faziam santos como antigamente, é verdade. São Simeão (389-459) passou os primeiros anos de sua vida, dos dezesseis aos 26, comendo só uma vez por semana, enquanto outros frades jejuavam dia sim, dia não. No período da Quaresma, passava os quarenta dias numa cela resistindo à tentação do pão e da água lá colocados.

Dizem as más línguas, e é José Quitério que conta, no *Livro de bem comer*, da editora Assírio & Alvim, que havia fraude nos mosteiros de Alcobaça, em Portugal. Um braço de rio cortava a cozinha do mosteiro, e frades espertos, aproveitando-se do desconhecimento zoológico de outros frades (ou, o que é mais provável, de sua cumplicidade), jogavam ao rio gordos leitões e vitelas que eram pescados logo adiante.

"Vede, irmãos, que estranhos peixes tem o rio!"

Santo Tomás de Aquino definia a carne como o que vinha de animais de sangue quente que viviam e respiravam na terra, enquanto os peixes que moravam na água e tinham sangue frio não eram carne. Nessa classificação eliminavam-se os répteis e os anfíbios, porque apesar de viverem na terra têm sangue frio, e tudo o que não fosse carne era peixe, com certeza. O que deu problema com a iguana, do Novo Mundo.

Segundo a antropóloga Sophie Coe, inglesa especialista em maias, astecas e chocolate, os espanhóis ao chegarem ao México se encantaram com a bebida que dava força ao corpo e à alma. Chocolate, podia ou não podia? Era bebida ou comida? Quatro papas deram sua opinião a respeito. Os jesuítas que estavam sendo acusados de tentar monopolizar o mercado de cacau no Novo Mundo com o intuito de lucro insistiam que era bebida. E que podia.

O catolicismo não foi a única religião que teve problema com o chocolate. A Igreja de Jesus Cristo dos Santos dos Últimos Dias recebeu uma revelação proibindo o uso de bebidas quentes como café e chocolate. Há pouco tempo, suponho.

Os muito conservadores dentro da seita resolveram proibir a coca-cola por causa da cafeína, mas jamais alguém mencionou o chocolate como proibido, que também tem cafeína e alcaloides. O eterno chocolate, bom pra caramba.

Afinal, coca-cola pode? Agora pode tudo. A Igreja foi fazendo exceções, deixou que comêssemos isto e aquilo. E perdemos a chance, barrigas cheias, de nos aproximar dos anjos, mortificar o corpo, abrilhantar o espírito, embelezar e elevar a alma. Mas ainda está em tempo. Nada nos impede de tentar o jejum. Dizem que é uma experiência e tanto.

Vamos a ele.

rosh hashaná

FUI EDUCADA NUM COLÉGIO DE FREIRAS onde me ensinavam que Deus tinha um caderno no qual anotava a vida de cada um de nós. Os pecados e as boas ações seriam lidos em voz alta no dia do Juízo Final, determinando o lugar para onde iria nossa alma. Céu, inferno ou purgatório.

Escondíamos o rosto entre as mãos, apavorados com a simples chegada dessa hora, quando cada canto secreto seria esmiuçado e atiçado como um rubro e dolorido nervo de dente exposto, palpitando de vergonha.

Encontro na tradição popular judaica a mesma crença. Em Rosh Hashaná, primeiro dia do ano judeu, Deus lê seu caderno de débito e haver, faz as contas e decide a vida e o futuro de cada um. Ou melhor, três cadernos são abertos: um para os de coração reto, outro para os maus e o terceiro para os intermediários. Os bons são inscritos imediatamente no livro da vida, os maus no livro da morte, e os mais ou menos ficam com a sentença suspensa de Rosh Hashaná até Yom Kippur (o dia do perdão), dez dias depois.

Vê-se por aí que a sentença felizmente não é definitiva e pode ser mudada por meio de orações, arrependimento e boas ações. Dá para entender por que sinagogas quase vazias no ano inteiro ficam lotadas em Rosh Hashaná. É o dia em que se enfrenta o Criador cara a cara, em que de repente a mortalidade e a fragilidade humanas se mostram por inteiro. É a hora de refletir sobre nosso passado, imaginar o futuro, projetar-se.

Os céticos, agnósticos, os crentes e os crédulos entendem com lucidez, naquele dia, que a morte é um fato e erguem a voz em oração. "Chama em alta voz, não te detenhas, levanta a tua voz como a trombeta e anuncia ao meu povo a sua transgressão e à casa de Jacó, os seus pecados (Is 58,1)."

Os judeus acordam para essa reflexão com o toque do shofar, uma trombeta feita de chifre de carneiro, e um dos mais antigos instrumentos de sopro. (Acho que deve se parecer com nosso berrante.) Aprendi no livro *In Memory's Kitchen: A Legacy from the Women of Terezín*, que no Rosh Hashaná, o toque do shofar na sinagoga é para que todos escutem o chamado, em qualquer esconderijo, sob as pontes, dentro das casas, nos vãos e desvãos, nos pastos, nas ravinas, sobre os montes.

Por que soam trombetas no dia do Ano-Novo? Por que esse som dá medo, faz tremer e ao mesmo tempo revela um raio de esperança? Dizem os judeus que é como uma linguagem secreta entre pai e filho. Há conversas que o Grande Acusador, Satã, não deve escutar. No dia do Julgamento, Deus e sua criatura conversam pelo som da trombeta, sem intermediários.

O shofar sacudindo o homem de seu comodismo e letargia

prenuncia o trombetear maior do dia da Redenção Final, acorda a alma para o dom da vida que lhe foi concedida, esquenta o coração para as preces que dirige a um Deus compassivo e compreensivo. A história do povo judeu é muito ligada a símbolos, e um de seus símbolos maiores é a comida. A mesa de Rosh Hashaná deve refletir a esperança de um ano bom e farto. Para isso, dá-se preferência ao que é doce, suculento e com suave formato redondo.

Até o pão, o chalá (geralmente uma trança), assado para esse dia, deve ser redondo, mais doce e mais rico. É decorado com escadas, coroas, aves em pleno voo, representando o desejo de que as orações subam aos céus imediatamente. A forma redonda está presente também na maçã vermelha mergulhada no mel que é servida antes da refeição, e na massa circular servida na sopa.

O doce aparece em quase todos os pratos. É costume evitar sabores amargos ou azedos. Algumas comunidades não servem amêndoas ou nozes, que associam a sabores amargos. Tudo que se associa à tristeza é evitado, como a cor escura do chocolate e da berinjela. Comidas brancas, como pudins de arroz, evocam pureza, e comidas cor de açafrão e abóbora, felicidade.

A tradição agrícola da data é lembrada por uma bênção especial feita sobre as frutas, de preferência citadas na Bíblia. A romã tem um significado especial, pois suas muitas sementes representam as 613 boas ações que um judeu deve praticar durante o ano. As cenouras são usadas porque suas rodelas lembram moedas de ouro, e seu nome em ídiche, *mahren*, soa como *mher* (mais, multiplicação).

O doce não aparece somente nos bolos de mel, biscoitos, balas, mas nos pratos salgados também. As batatas muitas vezes são substituídas por batatas-doces, as cebolas são caramelizadas, e as carnes, cozidas com marmelos, ameixas, tâmaras, passas, açúcar ou mel.

Há outros simbolismos nos pratos principais. O peixe e a carne, especialmente aves, são servidos inteiros para representar a esperança do novo ano. Serve-se a cabeça do peixe e do cordeiro assado ao chefe da família. Se não for possível, são substituídos por uma cabeça de alho assada ou uma cebola inteira.

O peixe aparece com muita frequência como símbolo de fertilidade e de pureza por estar associado à água corrente. Já legumes verdes significam um novo começo. Na África do Norte, as azeitonas pretas são substituídas por verdes, e o café, pelo chá de hortelã. Como o número sete traz boa sorte, o cuscuz é preparado com sete legumes, e por aí vai.

a mente e a memória

UM DOS LEITORES MAIS GENIAIS respondeu a um pedido de sugestões e indicou um livro muito interessante, *A mente e a memória*. Foi publicado pela primeira vez há uns vinte anos e tornou-se um clássico em patologias da memória. É do psicólogo russo Luria e ajuda muito na compreensão dos mecanismos dessa faculdade.

É o estudo de caso de um sujeito que se lembrava de absolutamente tudo o que lhe acontecera, daqueles que acabam num circo ou em shows de TV, repetindo páginas inteiras submetidas na hora, de trás para a frente, de frente para trás. Foi uma das memórias mais extraordinárias de que já se teve notícia. Transformava sons em imagens visuais e não tinha uma linha separando a visão da audição ou o tato do paladar.

"Ele sente sons uniformes e finos e cores ásperas. Tonalidades salgadas e cheiros brilhantes, claros ou cortantes." Todos os sentidos funcionavam ao mesmo tempo, e o que caísse ali não era passível de deletar. Ficava na caixa de saída, ou na de entrada, até na lixeira, mas com a associação apropriada vinha à tona.

O distúrbio do homem seria o sonho dos poetas, que ele não entendia por sua dificuldade de abstração. Sua vida não deu certo, um eterno barato, tudo o que se busca nos paraísos artificiais ali, entretecido e confuso.

"Reconheço uma palavra não apenas pelas imagens que ela evoca, mas por todo um complexo de sentimentos que desperta. É difícil explicar, não é uma questão de visão ou de audição, mas uma espécie de sentido geral que possuo. Geralmente experimento o gosto de uma palavra."

O gosto das palavras! O gosto da palavra. Resolvia o que ia comer em função do nome da comida, do som. Achava uma bobagem quando lhe diziam que maionese era um molho gostoso. Como poderia ser? O "z" (conforme a pronúncia russa) arruinava o gosto com seu som perfurante.

Mesmo em português, "maionese" é uma palavra engordurada, besunta os lábios. "Molho de ovo" já é mais seco, porque foi evitado o "z" do azeite, viscoso. "Óleo" tem menos gordura, mas "oleoso" não escapa do colesterol.

Nosso sujeito lembrante foi tomar um sorvete, e a vendedora respondeu às suas perguntas com voz grosseira. Bastou para que visse cinzas e carvão saindo de sua boca, numa associação feita com bondes barulhentos. Desistiu do doce.

Uma vida difícil e complicada. E palavras gostosas.

Ah, mas nós que lidamos com comida e público sabemos disso intuitivamente. Passamos os dias a elaborar menus que atenuem com palavras o excesso de temperos ou excitem o apetite com acompanhamentos cintilantes e crocantes.

Como um exemplo, a papoula. É dessas palavras que alimentam as fantasias, subjugam a imaginação. O estalar dos pês, os as claros, abertos e esticados, seguros apenas pela gravidade soturna do "ou". Quiçá a associação com o ópio proibido, ou os dois. Não se intriguem, então, quando o menu tiver papoula em excesso. É sedução, não mais que sedução.

Quando S. (assim o nomearam) ouvia música, sentia as notas na língua e achava que modificavam completamente o gosto da comida. Chamava os donos de restaurante à responsabilidade daquilo que punham a tocar na hora da refeição.

Um sofredor, como o homem-elefante. Diferente. Para decorar um telefone, tinha que degustar os números, sopesá-los, enrolá-los no palato, engoli-los, só assim eram absorvidos realmente.

Cores de sons, sons de sabores, gosto das cores, cheiros das texturas.

Que gosto teriam as coisas mais estranhas, a vida permeada de sabores, além de canja de mãe, o gosto da madrugada, de leilão de antiguidade, de uma rosa quase preta, de desfile de moda, mercado de flores, cigarras alvoroçadas, festa no clube, pé de jabuticaba, defesa de tese no departamento de filosofia da USP, exposição de cachorros na Água Branca, a quinta sinfonia de Mahler, operação espírita do dr. Fritz, baile funk no Palmeiras, missa do padre Marcelo, caneta Bic prata?

Desafio para todos nós, "os normais", à caça do gosto perdido.

grades

RESOLVI ANDAR UM POUCO A PÉ, ir até o supermercado. No meio do caminho, não tinha uma pedra, uma pedra, mas senti uma estranheza que custei a identificar. Quando passava em frente aos portões, soava um alarme e luzes acendiam. Fiquei brincando de gato e rato com as portas tão sensíveis, mas foi me dando uma raiva burra. Acreditam que me senti excluída e empurrada para fora daqueles prédios?

Não deveria ter sido surpresa. É que sou muito distraída. Quando vou a uma festa feita por nós do bufê, passo por problemas incríveis. Basta o porteiro enxergar uma velha de cabelos brancos que se diz cozinheira, na chuva, sobem-lhe à cabeça suspeitas terríveis de assalto e mulher-bomba. Escondido atrás de um vidro blindado fumê, pede a identidade, que devo inserir numa fenda, caindo na caixinha dele.

Começo a vislumbrar, atrás do escuro, um sujeito atarracado, mordendo a ponta da caneta, olhos entrefechados. Escreve e lê com dificuldade. Acho que tão avançada técnica contra ladrões mereceria um Nero Wolfe, um Perry Mason, um Sherlock. Inúmeras vezes cansei ao ser recolocada numa segunda jaula, e daí desisto. Brado: "Não entro, mas não tem festa". Costuma ser um abre-te sésamo. O engraçado é que, todas as vezes que consigo chegar, adivinhem quem já está lá me esperando há quarenta minutos? O sr. Zé, nosso motorista de longa data, que tem a maior cara de mexicano, bigodes revirados e olhar furtivo.

Ele, sim, sabe das coisas.

Claro que entendo que a segurança é necessária. Mas o problema que tenho para aceitar as ruas fechadas... As ruas do meu bairro, as vilas do meu bairro. Onde foi parar meu bairro? Que droga. Fico pensando assim. Se tenho que morrer de pneumonia, catapora, sarampo, dengue, morro de ladrão, mas não abdico da rua. O que perderam meus netos por não conhecer seus vizinhos? Por ter perdido d. Judith, que fazia *gefilte fish*, d. Hermínia, que recheava alcachofras com farinha de pão e as fritava em azeite? D. Conceição, que era especialista em doce de tomate? Sem contar d. Seraphita, com suas inefáveis balas de ovos. Vocês não imaginam o que eram as balas de ovos portuguesas da d. Seraphita, que não tinham nada a ver com estas que comemos hoje, com cascas duras como vidros. E com a irmã dela aprendi a comer sanduíche de chocolate e de uvas. Sem contar Natália, a italianinha, esta sim, que me deu o maior prazer de todos, ensinando-me furtivamente como se fazia um sanduíche de alho cortado fininho, um pingo de sal e bastante azeite.

O meu bairro era a ONU, era o que nos transformava em cidadãos do mundo, era o que nos ensinava a enfrentar a vida de patins e bicicleta, era o mundo lá fora que trazíamos para exame dos pais. A rua educa, todos misturados na mesma tigela. Era preto e era branco, amarelo, pobre e rico, vendedor e comprador, sem zumbidos de grades excludentes.

O que mais me irrita é achar que por trás disso tem um pouco de sentimento de status. Se os muito ricos se fecham atrás de grades, nós também devemos nos fechar, no que nos enganamos. Naquelas casas onde há sequestráveis de verdade não se percebe a segurança. É invisível.

Atrás do bufê há uma vila. As casas são simpáticas, geminadas, uma boa sala, cozinha e quarto. Pois não é que puseram um portão de um lado e outro de outro na vilinha? Não podemos mais dar uma volta no quarteirão sem um guarda que abra os portões desconfiado.

Bairros são o mundo em pequena escala, são a primeira inspiração de nossa vida. Olhem só o nome dos tangos. "Mi viejo barrio", "Los cien barrios porteños", "Esquinas porteñas", "El barrio", "De mi barrio", "Cuando el barrio se duerme", "Compadrito de mi barrio"... Sem falar em Jaçanã e Copacabana.

Derrubemos *los portoñes*!

comendo às escondidas

COMECEI A ASSINAR AS REVISTAS domésticas americanas lá pelo fim dos anos 50. Cada uma delas trazia, mensalmente, religiosamente, duas dietas de emagrecimento. Vem de longe, ou vem daí, esta história!

Simpatizo mais com a dieta do *slow-food*, que faz a campanha de uma comida inteligente e indulgente e cujos objetivos não são os narcisísticos de peso e beleza magra. Se você comer e se sentir culpado, não é culpa percebida e sentida na balança, não se relaciona com o corpo nem com a mente, mas com uma atitude sua, um posicionamento, uma consciência em relação à convivência, à herança cultural, aos animais, ao meio ambiente. Já se diz que para acabar com o mito da magreza teria que haver uma campanha coletiva de anos e anos, até uma revolução com muitos feridos, magros e gordos espalhados pelo chão, guerra, uma decisão política, de tudo um pouco. E, pressionados diante dessa comida assassina que engorda, imediatamente desobedecemos à dieta. Numa boa, e já faz tempo!

Em inglês essa desobediência tem um nome, *binge*, farra, pândega, mas teríamos que inventar outro que só servisse para este ato de comer escondido nas *tinieblas de mi soledad*. Poderá ser bingo??? Com CPI e tudo.

Como o caso do gorducho que levava para o spa um jipe que deixava a meio quilômetro de distância. Convidava os amigos para uma caminhada e, bingo!, iam à cantina da cidade, com muita cerveja e risadaria.

Todo mundo que já foi a um spa tem sua história a contar. No Guarujá éramos guardados por uma menina loira, magra e bonita que supervisionava a ginástica, era nossa personal trainer. Sempre na nossa cola. Comecei a desconfiar que na verdade nos supervisionava para evitar os *binges*, pois o spa fazia parte do hotel, onde se convivia com muita comida e outros hóspedes. Uma noite sentou-se ao nosso lado numa lanchonete bem juntinho à vitrine de doces, reluzentes quindins, macios brigadeiros. E aconteceu o que poderia haver de pior. Ela entrou num *binge* tarado, foi pedindo e foi comendo em frente dos embasbacados gorduchos. Mandaram a pobre magrela embora, sem apelo.

Muita gente faz do bingo! um ritual. Vai ao supermercado, compra duas latinhas de batatas Pringles, se tranca no banheiro e na banheira de água quente vai comendo uma por uma, enrolando na língua até acabar todas sem oferecer a ninguém, jamais. Estragaria a graça uma latinha já desvirginada.

Uma americana descreve seu pacote: três iogurtes de fruta, dois sanduíches de manteiga de amendoim e geleia de morango, dois pedaços de bolo comprado pronto com glacê e uma caixinha de passas. Tudo comido numa ordem sagrada. E as esbórnias de chocolate belga?

Uma amiga se hospedou comigo e me dava o maior trabalho com um regime espartano, de folhas e bifes no tempo em que a verdura no Rio era escassa e difícil de achar fresca. Durante o dia, comportava-se como manda o figurino. Uma noite escutei passos, fui atrás e lá estava ela na geladeira comendo sanduíche de feijão frio com pão dormido.

De compulsão de celebridades me lembro do Elvis rapaz, "Love me tender", tão lindo, chegando à Casa Branca para oferecer seus préstimos de espião ao Nixon. Para se disfarçar, foi vestido de veludo amassado vermelho e chapéu combinando. No hotel, no café da manhã, pediu um sundae com calda de chocolate quente. Tomou tudo e pediu mais um. Mais um, um quarto e um quinto. E caiu desmaiado.

Todo mundo suspeita que, enquanto as dietas estiverem

ligadas ao culto ao corpo, às carências afetivas, ao medo de morrer, sem levar em conta outros aspectos importantes, o resultado será um número cada vez maior de bingos!, de excessos, de engorda-emagrece. É preciso equacionar melhor o problema. Enquanto isso, se me dão licença, vou a umas bananinhas-ouro cheias de potássio e cálcio que eliminam as câimbras. Estão vendo? Comer para eliminar câimbra, ou é mentira ou assim não dá.

quente ou fria

"VOCÊ SABERIA ALGUMA coisa sobre a natureza 'fria' e 'quente' dos alimentos?", me pergunta um inglês, por carta. Minha vontade é cruzar as mãos nas costas, esfregar os pés no chão, baixar a cabeça, olhar de viés e responder: "Sei não, nhor".

Vou correndo à d. Olga, que trabalha conosco há trinta anos, foi criada em Araraquara e, como uma inglesa, só se manifesta sobre o tempo, e apenas se perguntada. Juntei ao universo de interrogados a menina de Capelinha, recém-chegada, para dar mais peso à pesquisa.

"Vocês sabem o que é comida 'quente' e comida 'fria'?", perguntei.

Não se espantaram nem vieram com respostas bobas, de comida esquentada na panela ou deixada no sereno. Na maior naturalidade possível, se puseram a tratar do assunto. Era como se eu tivesse quebrado um coco duro e dele jorrasse uma água límpida, inocente, fria, insuspeitada. Duas discípulas de Lévi-Strauss, estruturadas, desenhando labirintos de oposições, variantes, sincronias, diacronias.

Depende era a palavra-chave. Depende do tempo, da hora, do lugar.

"A senhora não vê manga, no tempo? O chão fica coalhado, que as crianças não dão conta. É preciso fazer um buraco e enterrar as frutas por causa das galinhas que podem morrer da quentura. É nessa época que os meninos ficam com os olhos remelentos e de manhã se tem que passar um paninho úmido, senão nem conseguem abrir os olhos."

"E laranja, Olga?", perguntei.

"Laranja-pera é quente, é ácida, a senhora não vê?"

Não, não vejo, a cidade me cegou. Mas quem terá transmitido esse conhecimento, de geração em geração, à Olga e à menina de Capelinha?

Esta coisa de quente e frio corresponde à teoria dos humores, da doença como resultado do desequilíbrio dos humores... Os árabes traduziram os textos indo-arianos sobre o assunto, que foram adotados pelos médicos gregos e correram mundo nas caravelas descobridoras do século XVI.

Pedro Nava, médico, percebeu que os alimentos "quentes" favorecem a gota úrica, e recente pesquisa indicou que adultos alimentados com "quentes" apresentam uma alteração no equilíbrio ácido-alcalino do corpo. De Hipócrates e de Galeno à negra Justina e à menina de Capelinha foi um pulo.

Escuto meu xereta sábio inglês a informar que consultou uns alfarrábios, um cientista de Berkeley, e que esses conceitos já existiam na América do Sul, antes que pé de branco aqui tocasse. Concordo, sr. Alan Davidson. Sem nenhuma base, concordo.

Quase posso jurar de pés juntos que d. Olga e a Geralda hauriram esses conhecimentos de um velho pajé e não de um grego, mas poupe-me de pesquisa! *I'm just your humble cook and servant, Sir!*

mina pächter

MINA PÄCHTER nasceu em 16 de julho de 1872 na Boêmia do Sul. Na época, poucas mulheres eram aceitas em universidades, e ela estudou literatura e arte em seminários, na cidade de Praga.

Casou-se com um viúvo com seis crianças, quase trinta anos mais velho que ela. Tiveram um filho e uma filha. Mina foi mãe dos oito, dona de casas grandes, esparramadas, prósperas, cheias de alegria de viver, festas, comilanças.

Todo o Império Austro-Húngaro gostava de comer. Cinco refeições por dia era o normal. Um belo café da manhã antes do trabalho e da escola, e, às dez horas, um "lanchinho de garfo" para as crianças, com sanduíches, ovos cozidos e frutas.

Os homens deixavam o trabalho e iam até a esquina para uma cerveja, uma torrada com patê e quiçá uma salsicha. Duas horas mais tarde, todo mundo se reunia em casa para o almoço.

As mulheres faziam suas compras e recebiam para o *jause*, numa mesa informal, mas bem-posta, com toalha rendada, chá, café, chantili, tortas, pão com manteiga checa. E doces e biscoitos. Esperando a hora do jantar.

Mina enviuvou em 1915 e estabeleceu-se como marchand. Tinha quase setenta anos quando sua filha Anny começou a tentar convencê-la a ir para a Palestina, fugindo da ameaça nazista. Ela não gostou da ideia. Deixar Praga por um futuro incerto… Não fugiria. "Uma velha árvore não deve ser transplantada. Além disso, quem faria mal a uma velha?"

Deve ter chorado de arrependimento quando foi levada para o campo de concentração de Theresienstadt, ou Terezín, antessala de Auschwitz, montado pelos alemães especialmente para abrigar judeus mais conhecidos, intelectuais, pessoas mais velhas que houvessem prestado serviços à Alemanha durante a Primeira Guerra Mundial.

Outra função do campo era mostrar que Hitler tratava os judeus com decência. Servia de fachada para esconder as atrocidades do resto do mundo. Na realidade, o que acontecia em Terezín era o inferno. Doença, medo, morte, fome, muita fome, e uma surrealista vida cultural organizada pelos talentosos judeus confinados ali.

A comunidade judaica se esforçava ao máximo para proteger as crianças do campo e educá-las. Afinal, representavam o futuro. Havia aulas de música, línguas, desenho, pintura e uma grande biblioteca de empréstimos.

No outono de 43, Mina Pächter já sofria de deficiência de proteínas, o edema da fome. Às vésperas de morrer, no Yom Kippur de 44, entregou um pacote a um amigo para a filha Anny, na Palestina. Sem endereço.

O pacote andou de lá para cá e, em 69, a filha de Mina que emigrara para Nova York recebeu um telefonema de Ohio (!). "Tenho uma encomenda de sua mãe para você." Eram cartas, poemas, uma foto e um caderno de receitas escrito e costurado à mão.

"Quando abri o caderno e vi a letra da minha mãe, tive que fechá-lo de novo. Guardei. Só muito tempo depois, tive coragem de lê-lo. Tínhamos medo dele. Era qualquer coisa de sagrado. Depois de todos esses anos, era como se a mão dela se estendesse até nós." O caderno fora escrito atrás de folhetos de propaganda nazista e tinha receitas simples, conhecidíssimas na Europa Central.

Em Terezín, falava-se tanto de comida que havia uma expressão para isso, "cozinhar com a boca". Cozinhavam com a boca em filas ao ar livre, no sol e na chuva, esperando pela insossa sopa de nabos. Cozinhavam com a boca enquanto catavam cascas de batata no lixo e, especialmente, altas horas da noite, de cima de seus beliches.

Diários do inferno, os cadernos de receita são testemunhos da obsessão pela comida, da falta da comida, do sonho com a comida, da saudade de casa, do desejo de uma vida boa num mundo melhor, da confiança no futuro.

Agora, o caderno de Mina Pächter (*In Memory's Kitchen: A Legacy from the Women of Terezín*, da editora norte-americana Jason Aronson) não nos serve somente como um relato histórico ou uma lembrança de mãe para filha. Ele alerta para a necessidade de manter ligações com o passado, de celebrar as raízes, preservar tradições, e aquelas simples receitas de tortas e patês de fígado têm ingredientes de importância universal, como o direito à liberdade e à redenção, à continuidade e ao significado mais profundo da palavra "lar".

davatz e evaristo

ENQUANTO O TRÁFICO de africanos se extinguia, a cultura do café ia se estendendo em direção a Campinas. O velho senador Vergueiro, desde 1840, vinha recebendo em sua fazenda de Ibicaba, Cordeirópolis, dezenas de imigrantes atraídos pela iniciativa particular para a lavoura. Em 1840, vieram portugueses do Minho e, em 1853, uma leva de suíços e alemães.

O que nos interessa no momento, em voo de ave, é ver o Brasil através de olhos de homens de culturas tão diferentes, atrás do sonho de uma vida melhor. Davatz chegou com os suíços. Era mestre-escola em sua terra natal, terra de costumes regrados, de hora certa, de cuco. Tão impressionado ficou que mais tarde liderou uma revolta de colonos e escreveu um livro sobre o tratamento recebido na fazenda brasileira, no regime de parceria. Ele, o metódico, o professor de casaco de alpaca preta, chapéu e polainas, caiu direto no barro. Era mês de chuva, calor, muita enchente, mosquitos, formigas sem fim, estradas do diabo.

O que se plantava na terra? Milho, arroz, abóbora, cará, feijão, batata-doce e mangarito. Nas hortas, couve. O milho mal debulhado pelos negros vinha misturado com cabelos e pedaços de sabugo. A pedra de moer era demasiado primitiva e o produto final, o fubá, parecia saibro grosso, intragável. O pão feito com ele não podia ser mais ordinário, grosseiro e duro.

A laranja, a banana e o abacaxi eram muito bons, mas não davam bebidas que prestasse. E imaginem que em Ibicaba não cresciam peras nem maçãs! O branquíssimo Davatz olhava a terra de Canaã com desgosto. O mel corria das árvores, mas as formigas chegavam primeiro. Quem quisesse adoçar a boca tinha que se contentar com a cana e a rapadura.

O português Evaristo da Veiga chegou ao Rio e, na hospedaria dos imigrantes, apaixonou-se pelo prato de feijão. Logo depois, em Ibicaba, Cordeirópolis, onde também estivera o suíço Davatz, encantou-se com a pipoca, a paçoca de carne-seca e o amendoim da hora da merenda. "Nem pode imaginar o leitor como se gravou no meu espírito e no meu estômago toda esta abundância." De noitinha, era só pegar a vara de pescar e ir ao tanque de Ibicaba pescar traíras de dois quilos. O inhambu piava perto e podia ser caçado a toda hora.

E a delicadeza da raça negra! Havia um preto alto e simpático, chamado Cipério, que lhe trazia todos os dias um jacá de jabuticabas apanhadas na mata virgem de Ibicaba. Doces, estalando de doces.

A mãe do portuguesinho logo se apercebeu da veia fina de

comerciante do filho. Vinham de Famalicão, terra que fazia o melhor pão de ló de Portugal. Pôs o menino para trabalhar. Feliz da vida, ele ia cedo para a encruzilhada entre as fazendas e as cidades. Comprava dos colonos os ovos que traziam e levava-os à mãe para o pão de ló que se tornou famoso em toda a linha paulista.

Davatz obteve permissão para voltar de vez para sua Suíça e Evaristo fez-se próspero e feliz na terra adotiva.

melão japonês

DE VEZ EM QUANDO me bate a mesma curiosidade. Até que ponto o poder do dinheiro se manifesta sobre a comida? Há comida boa e comida de status, uma diferente da outra?

Sempre acabo achando que o fator que realmente gera status para a comida é o preço. Lagostas e camarões, que eu saiba, nunca saíram de moda. O bacalhau só tomou ares de grande senhor quando seu preço enlouqueceu.

É claro que, tinhosos, nós, os fazedores de festas, sabemos elevar o status da comida fazendo-a parecer cara. Como o arroz, por exemplo. Nada seria necessário para que o símbolo de fartura fosse para a mesa, simples, cheiroso, branco, puro. No entanto, o status só vem com o açafrão, as passas, o funghi e as amêndoas.

No momento, comentam os americanos, a pessoa só pode ser chamada de refinada se tomar café com açúcar não refinado. O pão deve ser duro como o de camponeses da Idade Média; e os legumes, bem pequenos, furados de vermes, sujos. Cheios de terra e mais caros, é claro.

Enquanto isso, o caviar, o foie gras, os marrons continuam

bem, obrigado. Isso leva a crer que é mesmo o preço e a raridade que aumentam o preço.

Não é de pouca importância esse valor agregado que a comida pode carregar consigo. Em um casamento, por exemplo, não tem por objetivo simplesmente matar a fome dos convidados. Eles precisam sentir que os noivos se preocuparam com eles, gastaram o dinheiro de uma belíssima viagem, apresentaram tudo em pratas e velas e flores, mostraram a importância do dia e do convite, e que tudo isso passa a mensagem desejada. Fala.

Quantas vezes é difícil verbalizar uma atitude e tão fácil passar um cafezinho coado na hora!

Ninguém melhor que os japoneses, uma cultura cercada de cerimônias e tradições, para indicar essas sutilezas. Não consigo me esquecer do presidente Bush em visita ao Japão, desmaiando em meio a um banquete e sendo levado embora pelos seguranças, deitado, carregado, enrolado numa capa, triste figura, vítima da linguagem da tradição e das honras que lhe pespegaram goela abaixo.

Vejam esta historinha que li em algum lugar há muito tempo e que me impressionou:

Um turista americano, no Japão, passou por uma vitrine e parou intrigado. Era uma butique de frutas. O centro das atenções, no meio da loja, posto sobre delicada caixa de madeira forrada de papel de seda vermelho, era um melão. E que melãozinho! Perfeitamente esférico, sem mácula, veias formando intrincado mapa em alto-relevo. O caule longo, curvo, elegante. "Quanto custa o melão?", perguntou o incauto turista. "Vinte mil ienes", respondeu o vendedor inclinando-se quase até o chão. Era cerca de duzentos dólares.

"O quê? Impossível. Um melão que pode ser achado em qualquer supermercado por dois dólares!"

Ele só teve por resposta uma mesura ainda maior que a outra.

Mais tarde recolheu a explicação de um amigo acostumado com a linguagem da comida. No Japão é costume levar melões para os doentes. Regra, mais que costume. E de que jeito levar para o chefe doente, para o velho amigo, um melão de quitanda? Mesma coisa que chegar com uma penca de banana-nanica para a mulher que acabou de ter um filho.

A solução encontrada, já que melão deve ser, é que seja um melão de duzentos dólares, criado em solo japonês, que é danado de ruim para melão. Obedece-se à tradição, ao capitalismo, ficam satisfeitos o doador e o presenteado, e a linguagem da comida não sofre um arranhão sequer.

viagens

ver o peso

DESCE-SE DO AVIÃO EM BELÉM e duas manoplas pesadas de umidade apertam seus ombros para baixo. É um desconforto estranho, seria o peso de cima ou uma força do fundo que puxa para baixo?

Quem tem nariz muito afiado que se cuide. Na chuva, Belém apodrece e cheira a cheiros misturados, frutas machucadas, águas, peixes, lagartos, cotias, muito lodo e muito mofo. Todas essas palavras cobram seu real significado ali, na lama que a chuva aprontou.

O hotel dá costas para o rio, é fortaleza cosmopolita, e as flores de plástico, portas de vidro, ar refrigerado, encobrem todas as suspeitas de búfalos selvagens, piranhas, jacarés, Bezerro Mole, tambores, orações, acalantos, jambus, ninhais de garça.

No dia seguinte acordamos às quatro da manhã para a feira do açaí. Chegamos tarde ao mercado. Tarde para a chegada do açaí. Que horas será cedo? Com certeza fazem tudo o que podem na calada da noite fresca para evitar o bafo do dia.

Na manhã escura do mercado cai das árvores um cheiro de resina. Os motoristas de táxi de Belém têm vergonha de mostrar o mercado porque é sujo e tem lanceiros (trombadinhas). Lanceiros não vimos nenhum, mas sujo? O que significa sujo? Como lutar contra o rio de peixe e de lama, os pescadores saídos das águas, mordidos de peixe, piranha, ferrados de arraia, com os cabelos brilhantes de escamas?

Apesar de tudo há uma lógica no mercado. A cozinha de Belém se estende sobre folhas de banana e de açaí. Devem ser as mulheres que arrumam com tanta graça e cuidado os temperos do dia. Um maço de salsa, coentro, alfavaca, um limão, pimentas, cebolinha verde. Essa ala de ervas às quatro horas da manhã tem um frescor insuspeitado, ainda com lembranças de mato.

As pimentas catalisam terra e rio. São tão bonitas-cheirosas. Os vendedores fazem o molho na hora. Jogam as pimentas-de-cheiro numa garrafa de vidro, amassam-nas levemente com um espeto e enchem de tucupi amarelo e transparente. As pimentas sobem imediatamente e formam um colar colorido, ardido, na boca da garrafa.

Mais adiante o setor de terra seca, de roçadinho, de mandioca, macaxeira, farinhas grossas e finas, mandioca sendo ralada para o tucupi, goma para tacacá, biju, tudo pronto para chupar o caldo dos peixes temperados. E mais mel, e cachaça e até pluma de garça.

Os peixes são como os bezerros do rio. Enormes, prateados, negros, dourados, barrentos, em breve alvas postas a serem cozidas em água e sal, alfavaca e chicória. Peixe com coco, fritada de tambaqui, bolinhos de pirarucu e cozidões.

E haja coco. Paneiros de pupunha vendidos ao lado da garrafa térmica com café (pupunha é coco?). É só descascar, como se descasca uma banana, e a coisa tem gosto de palmito e milho e consistência de mandioca. Três em um.

No mercado inteiro tomam o açaí revigorante, púrpura, improvavelmente vermelho, um mingau como um vinho.

Um urubu preguiçoso abre as asas, cresce no alto da torre do Ver-o-Peso. Anuncia a comida da virada do milênio. Eu acredito nele e no pato com tucupi e na castanha-do-pará.

merendeiras

SEMPRE QUE ESCREVO sobre comida brasileira, chovem e-mails de leitores assanhadíssimos com nossas raízes. Ou melhor, quando falo do triste fato de esnobarmos as coisas da terra, é que todos se dão as mãos e concordam, concordam, concordam.

Estamos viajando pelo Brasil, Carlos Siffert, Olivier Anquier e eu, tentando, justamente, assegurar o status de nossas importantíssimas merendeiras. Merendeiras ou cozinheiras são aquelas que executam por dia 37 milhões de refeições para as escolas espalhadas nesses cocurutos perdidos do Brasil sem fim. Não me pergunte de quem foi a ideia. São muitas siglas, só decorei o MEC/FNDE.

A surpresa mais agradável é descobrir mulheres excepcionais, de muita garra, inteligência e jogo de cintura. Juro que as imaginava presas a receitinhas de rótulos de ingredientes, a ralos cremes de maisena gratinados, a molhos de tomate em lata.

Para felicidade geral, são cozinheiras nota dez, e dou exemplos. Fazem quirera bem miúda, ensopada num caldo leve, cheia de couve fininha e crua por cima. Farofas crocantes com cenoura da horta e casca de abóbora japonesa al dente. E mingaus para a alma. De milho, mungunzá, tapioca de pérolas grandes com leite de coco fresco, pedacinhos de manga, canela em pó e um leve toque de gengibre.

Mas não foi essa a sobremesa que o grande Payard serviu no outro dia e que fazia lembrar a Tailândia? E que era boa e que era ótima? Pois as merendeiras inventaram primeiro.

Hão de pensar que é exagero. Não. São cozinheiras de primeiro time, que por força das circunstâncias têm que jogar com muita criatividade. Não se envergonham dos palmitos, das mandiocas, da variedade estonteante de feijões, das carnes de charque e de sol. Tiram de tudo os mais inteligentes sabores, trabalham com cuidado de freira o sagu, conversam sobre caça, sobre cocos duríssimos que quebram com prazer e orgulho da força de seus braços musculosos pela profissão.

Uma radialista da região nos conta histórias em off. Viajando com um bando de quebradeiras de babaçu, resolveu fazer um trabalho manual com argila. Observou que, antes de começarem, arrancavam o barro do chão e preparavam qualquer coisa como uma moeda que engoliam! O que seria? Uma "píula" (pílula)!

"E para quê, meninas?"

"É a primeira coisa que se deve fazer em lugar novo e estranho. Tomar uma 'píula' da terra para 'pertencer'. Daí em diante somos da mesma gente."

Alguns *maîtres d'hôtel* não são gente do mesmo estofo. Um deles pega a tapioca e faz bijus no café da manhã, sobre um réchaud com vista para o rio Negro; lança para o ar pequenas panquecas brancas, engomadas. Orgulha-se de sua maestria. Ao seu lado, outro garçom extremamente empertigado, inconformado, com crachá de "provisório". Sente-se que estremece por dentro, está ali por acaso, só nasceu na terra, seu percurso foi Curitiba e Milão, os trópicos não lhe agradam em absoluto, quer mais é fugir da situação humilhante. De auxiliar de biju.

Amanhã é outro dia, vamos com as merendeiras ao mercado de manhã. Não se aguentam de excitadas, querem fazer e mostrar de tudo um pouco. E se não encontram folhas de mandioca? E jambu? E o leite de babaçu? E o tucupi? Uma confessa baixinho uma predileção por miolos de macaco, outra aprecia o tambaqui bem picante com muito limão, e a de Rondônia faz tartaruga de carapaça rachada e come as patinhas e a carne de dentro. De jia não gostam, não. Uma delas se levanta e imita o corpo hirsuto do bicho. Cachorro e cobra chinesa nem pensar.

O que queremos é confirmar nelas a ideia de regionalização, do prazer de entender e se orgulhar de sua própria comida. No entanto, para que se alcance uma identidade culinária, é preciso conhecer a comida do outro, aceitar provar o gafanhoto frito, o doce de tamarindo com pimenta, comer peixe cru e endro. Comparar é preciso, o que não invalida a verdade de que vamos comer bem, amanhã, aqui nesta ponta do Acre.

difícil manaus

É A PURA VERDADE. Sem um motorista de táxi e sem Chloé Loureiro (*Doces lembranças*, editora Marco Zero) é impossível conhecer o que se come e o que se bebe na terra de Manaus.

Chloé é o lado rico, cresceu num Acre religioso, culto, limpo e ordenado. Cortou os rios, vestida com golas de renda e sainhas godê plissadas. Jogou pedras em Judas Asvero, andou por Manaus nos anos 30 quando a cidade cheirava a pescada e tucunaré frescos. Aprendeu a matar, mas também comprou nas esquinas a tartaruga já esquartejada, dentro de seu próprio casco, com a banha amarela e ovos de pingue-pongue. Tem casa linda que lembra a Manaus dos tempos do fausto da borracha, oferece licores caseiros em cristais transparentes e biscoitos amanteigados de castanha-do-pará fresca.

O outro lado é dos motoristas, que aproveitam para fazer sua comprinha para o almoço de domingo com essas forasteiras. É o mercado pobre de verduras e frutas conhecidas. Pobre, pobre, desarrumado, banquinhas sem esperança. E nós, estranhadas, a Amazônia é nossa, mas não é. É mais do Sting que nossa.

O susto vem com a banca de ervas, ali, disfarçada, uma produção sofisticada, própria de revista brilhante de Primeiro Mundo. Ninho de mistérios, pós, cremes, folhas, coisas de beber, de comer, de cheirar, de fungar. Arnica, boldo, angico, aroeira, espinheira, jatobá, juá, alecrim-do-campo, cáscara-sagrada, urucum, jatobá, picão-branco.

Ai, que burra! Por algum tempo me iludi achando que ao visitar outros Brasis poderia descrever a comida, aprendê-la, escrever sobre ela. Doce ignorância! Um livro sobre o Brasil e sua comida tem que ser escrito a muitas mãos.

Somos turistas idiotas na nossa própria terra. As mandíbulas doem à noite porque as farinhas são duras e os coquinhos também. Fugimos do cupuaçu desde o avião. Qual Curupira do diabo, nos perseguiu na piscina, no hotel, no café da manhã, na ceia noturna. Lá vem ele em sucos, doces, salames, geleias, cremes e tortas. Sai pra lá, anhangá!

O tacacá sonhado está pelando, salgado demais, e desfio, despetalando, o jambu, a língua amortecida. Melhor ofender a anfitriã ou morrer de pressão alta? Ofensa ou acidente vascular? Ofensa ou acidente? Ofensa.

Foi pouco o que entendemos. Quase nada. Um bicho preguiça, plástico, aderido à parede de uma tapera e mudando de forma segundo a segundo sem se mexer me fez entender o *Abaporu* e o modernismo. Um passarinho azul pousou no terraço. Azuuul.

Não. Esta terra plana, esta água sem fim, este horizonte que o olho e o espírito não abarcam não é a Amazônia. A Amazônia de verdes escarpados, de mata, de liames, de orquídeas e cipós, a Amazônia psicológica é logo aqui, em Paraty.

o boto

O BUFÊ FOI CONVIDADO a ir a Manaus planejar um casamento que vai acontecer em junho. Imediatamente fui a uma locadora de vídeos e peguei *Fitzcarraldo*, do Herzog, para ver de novo e constatar que carregar uma festa para a Amazônia não seria sopa.

Mas a Amazônia é a Amazônia, a hileia, o verde que satura o imaginário do mundo, o inconsciente, o id verde-amarelo, o cheiro de jacaré e onça-pintada, tucunarés e pirarucus nadando em águas pardacentas. Piranhas, igarapés, contas coloridas, miçangas, espelhinhos, muita pena e muita pluma.

Embarcamos, Fitzcarraldos caboclos e conscientes, com meio olho no plano da festa e boca inteira para comer a Amazônia.

Já no avião, um espaguete de micro-ondas com carne moída cheia de nervos. Céus, por que não um bom sanduíche de presunto e queijo? O que se passa na cabeça desse serviço de catering?

Já esperávamos sentir, ao se abrir a porta do avião, o bafo quente dos trópicos, a respiração curta, a umidade subindo da terra e empapando o corpo de suor. A ordem, vinda de São Paulo, era a de correr para o ar refrigerado do hotel e fazer a sesta. Mas estava frio. É inverno em Manaus. E bafo de selva, assim, profundo, só em Kew Gardens, em Londres, onde fizeram estufas para as mudas de látex que levaram daqui.

Há trinta anos acalentava um desejo morno de tomar um tacacá no tucupi, depois de ter lido o livro de Osvaldo Orico, *Comida amazônica*. Um tacacá com molho de pimenta, jambu, goma e camarões, a ser tomado entre quatro e cinco da tarde, quando o calor diminui. É essa a hora do tacacá, tomado em cuia simples, lisa, toda preta. O que tem que ser bom é o tucupi, líquido extraído do polvilho da mandioca; o resto é tempero. O jambu é a folha saborosa que entorpece a boca e a língua.

Tontas, mal informadas, corremos para o tacacá das cinco, depois do trabalho. Foi um susto só. Miami é aqui. Arroz, sorvete, ketchup, sopa, sucos, mostardas, atuns, frutas em calda, cocas e colas. Sunluck, Swensen's, Del Monte, Heinz, Sunburst, Dijon, Old Monkey, Grey Poupon, Libby's, Hunt's, Starkist, Bumble Bee?

E a paca no tucupi? A sopa de tartaruga, o pequiá com farinha-d'água, o casquinho de muçuã, a pupunha cozida, o cará, o munguzá, o mingau de banana verde, a unha de caranguejo, o açaí, o chibé, o guaraná?

Engolimos em seco. Amanhã é outro dia. Já sei que em todos os lugares do mundo quem entende de comida nativa são os motoristas de táxi. Tenho fé nos motoristas de táxi. Acredito neles.

Mudamos de rumo e partimos para o encontro do rio Solimões com o Negro. Rios cujas águas não se misturam, cada um com sua cor, sua raça, andando juntos sem aderir, um fenômeno...

Andrea aponta energicamente para que eu veja alguma coisa nas águas. O boto cor-de-rosa? O boto? O boto? Pois acreditem. Exatamente na linha do encontro dos rios, à deriva, subindo e descendo nas ondas causadas pelo barco, uma Barbie de uma perna só vestida de dourado!

Arre! Esta foi a primeira aventura. Vieram outras, logo depois.

pour elise

O HOTEL É DE PRIMEIRO MUNDO numa cidade do interior no Norte do Brasil. Tem muitos andares, e da janela envidraçada vejo uma planície árida, muitas casas novas e feias, gente de bicicleta e mulheres vestidas de saia bem curta e justa, bustiê, umbigo de fora e sandália de salto plataforma. Parece que saíram da televisão e são todas virtuais, impressão reforçada pelo vidro que me separa da rua e do calor lá de fora.

Para descobrir as peculiaridades da terra é preciso saber abrir o coco e a castanha, os segredos da comida são mantidos a sete chaves, a regionalização gastronômica ainda não entrou na moda por estas bandas; aliás, em banda nenhuma aqui no Brasil. Nos confins do beleléu, vai-se ao restaurante para comer picanha fatiada e sushi.

O pequi, o maxixe diferente, a manga-boceta, o mingau de milho são intimidades e não devem ser partilhados com quem vem de fora. Ir ao mercado é coisa que o turista só consegue à força, que loucura, é sujo, vamos ao supermercado, que tem de tudo. Salaminho italiano, alcaparras, tremoços, gorgonzola. Que ideia a dessa mulher de querer comer caldeirada e beldroega. Coisa de pobre!

Há exceções. A camareira miúda, magrinha, idade indefinível de moça, bate na porta e entra.

"Conheço a senhora. Foi no programa da Ana Maria Braga experimentar comidas, não foi? Eu assisti."

Nem me intrigo mais.

Sabia que a apresentadora era muito popular, mas, depois de ter ido ao programa só três vezes, num papelzinho para lá de secundário e mudo, não esperava ser reconhecida, meses depois, em Cunha, num precipício depois de uma pinguela, no hospital

Albert Einstein, em São Paulo, em Imperatriz, Maranhão, em Montes Claros, Minas, na farmácia do shopping, na loja de cosméticos e, com certeza, em Petrolina e no cinema da Chapada.

Imagino homens e mulheres de memórias prodigiosas sentados em frente à televisão, absorvendo e mastigando cada palavra e cada gesto da Ana Maria e incorporando o papagaio José, os doces, os salgados e os convidados.

A menina arrumadeira continua:

"Ontem, quando vim arrumar o quarto, dei uma lida neste livro. Foi a senhora que escreveu, eu vi. Adoro cozinhar." A voz cobiçava um pouco. "Queria ser cozinheira, mas não prestei concurso e sobrei."

Sentei numa das camas para dedicar o livro à moça. "Eliza, nome bonito. Então o que é que se faz de gostoso nesta terra?" Quase não me deixou terminar a frase e jogou-se na outra cama, de bruços, os dois pés cruzados, para cima, segurando o queixo com as mãos.

"Ah, o dinheiro é pouco, não dá para variar muito e fazer grandes coisas, não. Ali no quarto do lado, o Carlos, o moço amigo da senhora, tá com uma sacolinha de plástico cheia de vinagreira, aquela planta, sabe o quê?, que tem uma flor vermelha. E outra de joão-gomes, o matinho. É bom, faço esparregado, assim, bato bem batidinho, tempero com sal, cebola e alho e passo na panela. Bom de comer com ovo, com pão, com tudo. E, quando tem galinha, se faz arroz de galinha e, quando tem pequi, arroz de pequi, mas o arroz daqui mesmo é o de cuxá, o arroz com vinagreira, com a folha. A senhora conhece?"

Não me deixou responder, já pulou da cama, pegou o livro, encantada, e foi mexer na mala.

"A roupa tá amassando pendurada nesse cabide. Vou estender na cama e depois arrumo no armário, mas primeiro tenho que ir avisar que estou aqui. Volto jazinho, tá?"

Foi e voltou num pé só. Jazinho mesmo. Como que trocando gentilezas respondeu com naturalidade minhas perguntas sobre a caldeirada, o babaçu. Deu receita do arroz de cuxá, mas receita simples, sem camarão, e, quando lhe faltava a expressão certa do modo de cozinhar, ou esquecia um nome importante naquela transmissão de conhecimento oral, batia várias vezes seguidas na testa, com os dedos em nó, e revirava os olhos, buscando as ideias.

Aprendi expressões. "Morrer" era "dar adeus ao jerimum", "não comer mais pirão". Cantou uma cantiga pequena, se interessou vagamente por São Paulo, não ia tirar o pé de lá da terra, não porque gostasse muito, é que o aluguel era barato, oitenta reais, em São Paulo só ia se tivesse onde morar, porque viver só para pagar aluguel era uma aporrinhação sem feitio.

Finalmente, depois de toda a ajuda possível, resolveu que era hora de ir embora. Tinha me ajudado, sim, mas no fundo estava honrando era a Ana Maria Braga, que me acolhera no seu programa. Voltaria no dia seguinte para fechar as malas, prometeu.

Fui me arrumar depressa para jantar um filé Wellington com fritas, à beira do Tocantins, esperando o dia e a hora em que o Brasil se convencesse a servir pelo menos um pouco de suas raízes à mesa, sem preconceitos. O que há de errado com arroz com feijão, farinha de mandioca, carne-seca, mangas douradas, banana-da-terra? Intuo que a responsabilidade maior está com Ana Maria e seu papagaio José. Que Deus os ajude.

no barco

MINHA MÃE, operada, no hospital, fugia daquela situação difícil fechando os olhos e fingindo que estava em Paraty. Resolvi recorrer ao mesmo artifício, porque não ando aguentando trabalhar neste calor dos infernos.

Sabe como é, as mocinhas podem botar um short, uma regata, mas as velhas têm que esconder da vista alheia tudo o que possa não parecer bonito, e como há o que esconder! Mais fácil uma tenda refrigerada. Pois, então, vamos a um passeio fresco.

Em Paraty, a família resolveu dormir no barco, no mar. Não havia ninguém muito aventureiro ou corajoso no grupo, e lá fomos avós, filha, neto e o barqueiro. O barco é velho, um banheirão, mas de desenho lindo, branco; saímos já de tardezinha com céu de Espírito Santo mandando raios de sol direto do peito.

Realmente não existe coisa mais bonita que aquele mar manso, encostado no verde do mato, com árvores nascendo deitadas sobre a água e micos-leões-dourados macaqueando sem a menor ideia de que estão extintos. Os peixes passam em fila, com a barriga cheia, desfilando. Num minuto, a noite chegou. Estávamos atarefados em guardar a tralha que tínhamos levado e da qual não precisávamos, travesseiro, lençol, cobertor (haja!), rádio, discos e lanches, é claro.

Quando começamos a nos interessar pela comida, já havíamos amarrado uma melancia numa corda e a deixado gelando nas profundas, escutamos um tuc, tuc, tuc de barco de borracha. O dono da ilha escarpada mais próxima, que tinha um bar conhecido, ao nos ver ali resolveu fazer uma surpresa. Camarão ensopadinho com chuchu, arroz e mandioca frita. Como caiu do céu, nos soube a ambrosia, com umas caipirinhas bem geladas e as estrelas se precipitando céu abaixo, um zonzo bom de sono e calma total. O tcha, tcha das ondas batendo na madeira.

Por Deus, numa hora dessas a gente se pergunta por que tem que ter computador, televisão, livro, revista, jornal, carro, mesinha de cabeceira, lustre, saia rodada, anel e meia, mas deixa para lá, foi um sono só.

De manhãzinha (e olhe que detesto manhãzinhas ou manhãzonas com toda a força do meu ser) estava muito fresco, um cheiro no mato difícil de dizer do que, a mistura de frutas, flores e verdes. E tudo junto dava jasmim com pitanga e limão.

O sol era só um carinho, sem queimar, e jogar-se na água ali era a limpeza pura, dos pecados, do sujo, das tristezas, das ofensas. Um batismo de azul perereca. Um agradecimento de sapo grande.

É claro que o chuc, chuc do barquinho chegou de novo na maior das mordomias, já se achando o emissário de Dubai, com café e mandioca, acabada de colher e cozinhar, com manteiga e açúcar do lado. O que ele trouxesse achávamos lugar onde acomodar. De almoço, comemos lulas bem pequenas e fritas. O Vivinho fazia essas lulas como ninguém, e um feijão com couve, tudo separado, ainda não se estava ao par do *surf and turf*. Primeiro as lulas, depois o feijão com gosto leve de paio ou carne-seca, nem lembro mais. E muita água de coco. De sobremesa, Paraty não tem grandes modelos, senão frutas, a banana, principalmente a banana-ouro, bem pequenininha e doce, para ser mamada na ponta depois de um pouco amassada.

O barqueiro de nome Dito, quase nosso filho de tão querido, produziu seus próprios peixes com uma varinha de nada e mandou de volta para o cozinheiro invisível, que os fez fritos, naturalmente, que é o método de Paraty encarar o mundo. Rápido, rasteiro e frito. E estava fresco, é isso, estava muito fresco.

gravidez

A NOTÍCIA DE HOJE é que Paraty está grávida. Foi tanto calor no verão que o verde se encharcou de sol, saturou, e agora está farto, pojado, satisfeito.

As vacas, nunca tão lúcidas, não se mexem nos pastos montanhosos, são a coisa mais linda, esculturas imóveis, algumas também prenhes. O leite tem gosto, é forte.

O mar já não sabe o que fazer de tanto peixe que nada em coreografias graciosas de filme de Esther Williams e passa pelas iscas dos anzóis com o desprezo próprio de quem já jantou. Pelo jeito, não vamos comer sororocas nesta estação. É um mar com consistência de *bouillabaisse* grossa. Um caldo frio e borbulhante de frutos do mar, camarões, lulas, tainhas, filés, postas, dorsos de golfinho, mariscos.

Apesar de tanta placidez, há certo erotismo no ar, uma sensualidade periférica, frouxa, como um orgasmo delicado e contínuo na superfície de tudo. Até os capins estão dando flor. Modestamente explodem em fogos de artifício de palha, estrelas e bolas de plumas, mandruvás peludos pendentes, flores secas e duras, trigo de Deus em céu aberto.

As estradas de terra atravessam a fumaça dos fogos das queimadas, e o cheiro é bom, de mundo cozinhando, e as nuvens são de chantili batido com açúcar, gordas e gostosas.

Os abacates estão polidos à mão, redondos, enormes. Ótimos para serem comidos em saladas, com chili picante ou, por incrível que pareça, junto a uma bela posta de peixe ensopada, com coentro, tomates etc. e tal.

Há jambos, mas não da cor de mulatas. São vermelhos e ruins. As laranjinhas-da-china encostam no chão, as mexericas-do-rio fazem a alegria do café da manhã e, hoje à noite, houve um assalto a uma árvore. Raparam tudo. As suspeitas recaíram sobre uns sujeitos caçadores de gambás, uma história meio esquisita. Ai, ai, ai.

A casa da Julia Mann, mãe do Thomas Mann, fica ali, entre o morro e o mar. Fiquei me matando para saber o que lhe grudara nos genes, o que transmitira ao filho desta paisagem poderosa de sombra e de luz. Já ia desistindo quando me lembrei, ora (tossezinha envergonhada), da montanha. Montanha misteriosa, no momento fechada para balanço. Um mico-leão-dourado veio nos espiar, mastigando qualquer coisa, nem um pouco extinto.

As meninas que no verão saracoteavam em seus biquínis, acreditem se quiser, fazem crochê em frente das casas da roça. Crochê!

A represa, de longe, é um verde só, samambaias, grotão, muita sombra e chão sarapintado de sol. Os gansos andaram nadando por aqui e deixaram penas brancas que a qualquer vento se alevantam em voo breve e vão cair mais longe, uma riqueza. Ninguém pensa em comer os gansos, só minha nora chinesa e eu, cúmplices, loucas para descobrir o segredo daqueles foies magros. Loucas para rechear aqueles pescoços, mas fica tudo na vontade, uma moleza, uma preguiça!

As galinhas, no entanto, cortam qualquer barato lírico-grávido, correndo de lá para cá, fugindo eternamente da faca, com uns olhinhos míopes e frustrados. Pois vou fazer uma delas, como manda o novo figurino. Vou matá-la e, depois de limpa, mergulhá-la em água com sal por quatro horas. É o único jeito de salgar uma galinha para assar. Secá-la antes, não esquecer de secar antes de assar.

Descemos à cidade. Vou pouco a Paraty atualmente, não gosto mais, acabou-se o que era doce, vou ficando minha mãe, irritada, tropeçando nas pedras... Não tem mais jeito, é voltar para a roça, enfarada, nada como a comidinha de casa, tão simples, quase grátis, sem couvert musical.

E ainda tem a internet, a mais grávida de todas, fértil e generosa. O Luiz Horta insiste em fazer funcionar nossos miolos alagados de sol com profundas dúvidas filosóficas, tais como: "Existe sopa de letrinhas em outros alfabetos? Cirílico, kanji, chinês, japonês, hebraico? Hebraico é só ponto, com certeza fica uma sopa de bolinhas, e os meninos leem palavras flutuantes... Olha! Um aleph!".

Huum, huumm. Devagar, quase parando. Queria tatuar essa paisagem na alma, para sempre.

o menino e o pai

NÃO ESTAVA COM MUITO PALPITE nessa viagem a Londres e não reservei nenhum restaurante estrelado. O que não fez mal, pois, ao chegar aqui, vimos que toda a comidinha de restaurantes médios estava boa, fresca, com apresentação bonita. E quem quer se emperiquitar inteiro, botar gravata, salto, para ir comer? Acho que é coisa dos anos 80. Saiu de moda.

Mas foi me dando uma aflição, por causa de você, leitor. Como é que posso afirmar que comida perfeita e luxuosa não está valendo a pena se não experimento? Afinal, é minha profissão, é preciso não deixar cair. Coragem.

Um cozinheiro que não conhecia ainda de perto era Marco Pierre White, que, desde 87, é o *enfant gâté* da cozinha inglesa. Bom de criatividade, bom de aparecer em jornais, bom para levantar restaurantes falidos. Resolvemos ir ao Oak Room Marco Pierre White. A crítica unânime é que é caro. Muitos defendem afirmando que é caro porque é bom. Por uns tempos ele desistiu da profissão, pelo menos sumiu, agora o vejo de novo em uma das séries dos MasterChefs.

Chegamos na hora marcada, quase antes do chef, com certeza, e fomos nos acomodando, vendo os garçons tomarem conta de suas praças, o maître supervisionar a sala, coisa que acho bonita, um métier tão antigo, no meio de madeira, ouro, lustres de cristal...

O que quero aqui é contar o menu para você. Mas não posso contar assim nu e cru. Na nossa frente, sentou-se uma família japonesa formada por pai e mãe jovens, duas mulheres que eu diria irmãs da mãe, um filho de uns nove anos, de terno, gravata, e um senhor japonês mais velho, com certeza o homenageado, pelas mesuras de cabeça que faziam a ele.

As duas agregadas, tias do menino, além de não darem palavrinha, tinham uns gogós que subiam e desciam, a boca seca de ansiedade de estarem em tão importante companhia. Mas quem arrasava era o menino. Gordo, não obeso, mas gordo, de pele muito clara, com traços chatos, sem perfil que se notasse, e cabelo muito preto, nascendo com um tufo duro para a frente. Adorava o pai e não se mexia sem passar os olhos por ele em muda imitação. A família toda, atenta ao convidado, não lhe dava a mínima atenção.

Eu me encantei com as bolas de gude negras que eram seus olhos, apertados dentro das pálpebras grossas, mas conseguindo tudo ver e observar, rolando com facilidade uma expressão mais que notável.

Tudo começou com "*aspic* de ostras com agrião em gelatina de champanhe". Era uma única e grande ostra em meia casca, *en gelée*, apoiada sobre sal grosso. A ostra brilhava em aspic dourado, como a borda do prato. O menino, com o rabo do olho esperto, fitou o pai. Se seu deus comesse aquilo, era porque aquilo era comida, e ele também teria de fazê-lo. O pai comeu. Ele encarou a ostra, mas encarou mesmo, por um bom tempo, intenso, bravo, sentimento de ódio aparente rolando no peito, sem falar nada, mas falando tudo. "Que bicho nojento é você, que veio perturbar minha vida que ia andando tão bem?" Pegou a ostra inteira com o garfinho e comeu. A cara dele foi de quem se sentiu ofendido, maltratado mesmo. Que coisa mais horrível. Aquilo era a experiência gastronômica que lhe tinham prometido? Bebeu rapidamente um copo de Coca para lavar a infelicidade e ajeitou-se na poltrona de veludo.

Ainda havia uma esperança. Segundo prato: "*ballottine* de salmão com ervas, salada de camarão com azedinha selvagem e caviar". Estava bom, o salmão excelente, a azedinha selvagem era nosso trevo de três folhas. O serviço perfeito e garçons à vontade.

Terceiro prato: "lagosta grelhada com ervas e alho, ao molho *béarnaise*". Era uma lagosta pequena, dentro de sua própria casca e muito saborosa. Ninguém olhava o menino, ninguém o amava mais, nem nos momentos de perigo como aquele. Puxou o fio de bigode do bicho devagar, medindo-o com estudado exagero. Intrigado, desolado, provou uns pedacinhos, com um ponto de interrogação no rosto. Mais sofrimento?

Quarto prato: "pombo de Bresse com foie gras, purê de batatas ao *fumet de cèpes*". Uma boa coxa, não eram seguramente os pombos de Trafalgar, carne vermelha, suculenta, recheada com fígado e recoberta por uma finíssima folha de repolho transparente que a protegera do forno. Purê passado por peneira fina.

O menino estava pálido. Passou as mãos pelo rosto com força, num desespero de gravata, como se aquilo pudesse acordá-lo do pesadelo. As tias já se animavam mais depois do vinho e riam por trás do guardanapo, murmurando monossílabos de assentimento para o personagem importante. E o menino solto e perdido no mundo.

Veio o "brie recheado com trufas". Depois chegou a sobremesa. Primeiro um pequeno "*crème caramel*", com uma arvorezinha de prata ao lado, cheia de "friandises", minidocinhos. O infeliz já passara da possibilidade de aproveitar qualquer coisa. Fechara os olhos e balançava a cabeça devagarzinho, junto ao prato, como um autista.

No enorme e trêmulo "*soufflé de chocolat, glace au lait*", a cabeça do gorducho simplesmente tombou para a frente, um segundo, um segundo só de sono, o topete preto e duro se afundou na massa doce. (Poucas vezes na vida ri com tanto gosto. Era o menino mais engraçado do Japão, solto na Inglaterra.) O pai só lhe deu um tapinha carinhoso na bochecha para acordá-lo de vez.

Essa foi a história do rapazinho japonês desavisado e de dois velhotes aliviados em muitas libras, que, afinal, valeram a pena. Por essa vez.

o sabor da frança

AQUI ESTAMOS NÓS, ainda em Paris, hospedados num *studio*, numa ruazinha calma do 7ème. Rue Monsieur. Rue Monsieur e mais nada, como deve existir uma Rue Madame e uma Démoiselle. Mas esta é masculina mesmo, militar até, sem grandes hotéis barulhentos. A grande onda de turismo chega até a Torre Eiffel, para, olha, sobe e não dá um passo à frente, possibilitando a paz bucólica de folhas douradas de outono frente ao *dôme* dourado dos Invalides.

Viagens são formadas por um passeio aqui, outro ali, passeios entremeados de restaurantes, brasseries e bistrôs, leituras de livros (*L'Excéption Culinaire Française*, de Alexandre Lazareff, da editora Albin Michel, e *Aventures de la Cuisine Française*, de Bénedict Beaugé, da editora Nil), conversas, muito jornal e revista. Pela compra de ingredientes excepcionais para a comida de todo dia (o mais divertido na viagem e o mais instrutivo. É bom brincar de casinha na terra dos outros). Por um sincero alarme pela péssima comida oferecida a nós turistas em quase todos os lugares. Pelo respeito tanto pelo criativo e disciplinado chef formado na escola francesa quanto pelos autodidatas influenciados pelo seus *terroirs*.

Toda essa mistura de impressões rápidas e simultâneas do que anda pelos ares gastronômicos é fecundada por uma discussão que ameaça se tornar crônica. "Estará a cozinha francesa se afastando de suas raízes? A globalização vai lhe tirar a identidade? Como salvar o que restou?"

É um vasto assunto. Num primeiro momento, a tal globalização mostra a cara façanhuda nos milhares de turistas entrando nos milhares de restaurantes e parece que tudo está perdido. É de se acreditar que seja impossível cozinhar com um mínimo de decência para tanta gente ao mesmo tempo. E ainda há os concorrentes da cozinha francesa. Os espanhóis, com sua comida saborosa e novos cozinheiros inovadores, e os italianos, que ainda por cima conseguiram convencer o mundo de que o macarrão é ótimo para emagrecer. E o MacDo, então, o perigo mais notável, a estandardização, a organização, o dinheiro, a acomodação do paladar, suspiram os franceses. (Nem todos.)

"E esta novidade de *fusion food*, essa invenção dos infernos?", interrogam-se alguns críticos. Antigamente, quando se queria comer comida japonesa, ia-se ao restaurante japonês; comida tailandesa, ao tailandês. Agora vem tudo no mesmo prato!!!! E os novos costumes? Ir a um restaurante de um grande chef e pagar muito dava status, hoje é *gaspillage*, desperdício. Era de bom-tom casar a filha num banquete feito pelo mesmo *traîteur* da família há cem anos, mas agora também há que se cuidar para não ser chamado de *nouveau*.

E os chefs? E os famosos chefs franceses? É possível fazer comida boa e barata com ingredientes caros? E o treinamento do cozinheiro francês, com a tradição de mestre-aluno, o culto da excelência? Vai se tornar impossível se os jovens talentos desertaram as grandes casas para ir fazer comida de avó por conta própria num pequeno bistrô. Quem vai ensinar à nova geração as *pommes soufflées* perfeitas, a omelete *baveuse*, as massas folhadas, a técnica, a disciplina férrea e todo o resto?

Não sei as respostas, e cada um tem a sua. Minha esperança está na cara do francês que come, seu prazer à mesa, o olhar entendido que lança para a ostra. (Esta opinião vai contra outra, que acha a maioria do povo francês completamente ligado a tradições de uma época de escassez e incapaz de absorver novidades culinárias. Ver a quantidade de miúdos e o aproveitamento da comida em sopas e ensopados nos bistrôs simples e o menu repetido e sem inspiração.)

Crises levam a soluções. Depois de muita briga, já se viu que há um nicho razoável para chefs talentosos, patrocinados ou não. Os grandes restaurantes de hotéis, se bem administrados, continuarão a cevar esses talentos.

Existe hora e lugar para a fast-food, americana ou à moda francesa. É só equilibrar com a boa comida feita em casa. E, se não se faz comida em casa, se os fast-food franceses e os pega-turistas são piores que os americanos, não há do que reclamar.

Quanto a novas influências, sem problema. Não é a comida francesa um rio de influências, não é em Paris que se faz o melhor cuscuz marroquino do mundo? Que a cozinha seja sempre nova e que se renove a todo instante.

Salvando tudo a excelência do produto, que se torna cada dia melhor e mais acessível. O francês está interessado na galinha e no milho que ela come. Quase todo ingrediente tem marcado na casca ou na pele sua orgulhosa origem. Com esse tipo de ingrediente, com uma dona e um dono de casa conscientes, com a ajuda da escola, com um turista mais exigente e menos distraído, todos juntos contra o cotidiano de uma comida medíocre, não há o que acabe com o sabor da França.

bom de ver e de fazer

TENHO SAUDADE DE PARATY. Acontece que saudade não é só do lugar. É daqueles com quem você estava, da comida, do clima, da época da vida. São coisas que, passadas, não voltam mais do mesmo jeito. Pode-se até ter saudade de outra configuração, mas cada uma é uma.

A primeira saudade é a do mar, gosto mais de água que de terra, infinitamente mais. O azul-esverdeado, porque o mar e o morro se juntam em Paraty, se enroscam, as árvores chegam a pender carregadas de cigarras até encostar no mar e se oferecem aos micos-leões-dourados para que pulem nos galhos junto da água pedindo comida aos barcos.

Há certo luxo no brilho dos peixes, na proximidade deles, são alienígenas, de corpo escorregadio, não parecem nem um pouco com as galinhas. A sororoca é quase um poema, um dos desenhos mais bem-proporcionados que já vi. Ela vai saindo do mar e começa a perder o viço, cuspindo sardinhas, batendo o rabo, as bolas coloridas do corpo sombreando, a prata virando chumbo.

Mas as manhãs na simplicidade total de uma casa caipira também têm lá seu valor. Às vezes, a horta está envolta em nuvens, você pode inventar de catar couve e, convenhamos, catar couve nas nuvens não é lá para todo mundo. As pimentas também são um excesso, dão de verde a rosadas, acabando nas pretas, e cada ano mudam seu calor, inventam de ser mais ardidas ou menos, pimentas sem padrão.

Os marrecos por si sós são uma coisa tão bonita, nadando no riacho, que realmente deve ser maldade comê-los quando as asas se cruzam, pingando água ou suco de mexerica do Rio, até ficarem macios.

O feijão catado lá não parece com nenhum outro, a mandioca é das melhores, a farinha branca carregada num saco de aniagem é muito fina, gruda no céu da boca.

Se se planta um quiabo, ele vira praga, uma insensatez. Paraty tem uma vocação para a pobreza. A pobreza orna mais com a cidade do que a opulência, pode-se até tentar, mas o âmago é pobre, é ascético.

Se não tiver galinha solta, para mim não é sítio. As galinhas têm o dom de construir a simplicidade. Pode-se inventar a casa mais moderna nos seus vidros, o colonial mais rebuscado nos seus santos, mas, quando a galinha chega, não há frescura que aguente. Volta-se ao ovo e ao essencial. A galinha não tem vergonha de ser tão pobre no seu canto e nas suas penas, ela simplesmente está pouco se lixando.

Num lugar em que haja galinhas, pode-se fazer de almoço um arroz bem solto, um feijão grosso, uma couve fina, tem que ser bem fina ou rasgada, tudo fica harmônico, a galinha nunca pode estar perto de um prato sofisticado, porque o prato perde a pose. Ela não perde porque não tem pose a perder.

Lembrei as galinhas vendo na praia uma daquelas velhas de coque branco, sentada na quebrada das ondas, olhando o infinito de peito nu. O mar vinha e refrescava suas pernas com a espuma gelada, e ela, olhando para a frente, não estava nem aí para aqueles peitos caídos. Era uma coisa que eu ainda queria fazer, uma sensação muito boa, *me ne freggo*, parecia dizer, muda.

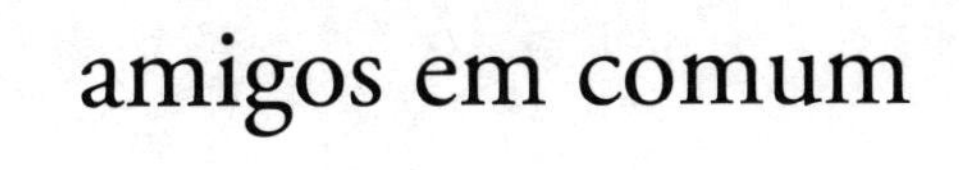
amigos em comum

saudade

MARIALICE MARECHAL. Amizade que começou nos anos 60, na época de recém-casadas. Era a mais ativa de nós, cabelo bem loiro, muito fino, um pequeno rabo de cavalo, uma perua Kombi e cinco crianças para levar ao colégio, voltar, cozinhar para o marido americano, as gêmeas inapetentes, ver se o mais velho não estava passeando pelos telhados.

Tenho a foto do dia em que esse menino levado nos recebeu no colégio, em fila dupla no Dia das Mães. A cara dele é um estudo de desaponto. Quando entramos, os filhos deveriam lançar pétalas e mais pétalas sobre nós, e ele estava preparadíssimo e exultante, mas entendera "pedras" e se desapontou sobremaneira com as "pétalas".

Também, Marialice mãe definia a festa das mães como aquela semana em que temos de andar com colar de grão-de-bico que guardaremos depois na caixa forrada de macarrão dourado.

Ela morara nos Estados Unidos logo que se casou e era o máximo na cozinha. Rápida, eficiente, sem frescura nenhuma e sem receita. Umas adaptações para o Brasil que deixariam os Estados Unidos indignados. Havia a receita de *Boston baked beans*, que ela transformara em *non-Boston-non-baked-non-beans*. Uma receita caprichada, que tem sua panelinha própria para ir ao forno, afunilada, retendo os sabores.

A versão dela era a seguinte: pegue o feijão-mulatinho já

pronto, junte mostarda, açúcar mascavo, ketchup bom, bacon e deixe esquentando em fogo baixo até todos os sabores se misturarem. A gosto. Não sei se no Brasil se acostumariam com esse feijão, mas é delicioso.

Seu rosbife jamais teve segredos. Era pegar a carne, não temperar e colocar no forno médio por uma hora. Não importava o tamanho nem o tipo de carne nem a grossura. Era uma hora. Saía rosada, quase vermelha. Sempre. Quando podia, salteava panquecas americanas para comer com mel e manteiga.

Aqui no Brasil foi ela que introduziu a salada de macarrão. Punha um pouco de tudo, e o segredo era o amendoim torrado, ingrediente um tanto quanto estranho para massas. Não foi um sucesso eterno, mas durou o que dura a moda. Quem inventou essa salada foi Marcella Hazan, a conhecida autora de livros de comida italiana. Diz ela que se arrependeu muito, mas já era tarde, pegou como uma febre nos Estados Unidos.

Marialice vivia correndo com aquela Kombi recheada de crianças ou comida, exausta, às vezes. Sua avó havia caducado anos numa cama, eternamente puxando os fios da barra de uma toalha, calma, desfiando, desfiando. Minha amiga sempre dizia que no auge da corrida passava pela porta do lavabo, via uma toalha e tinha uma tentação aguda que a paralisava na porta. Quase, quase parava e começava também a desfiar, enfim livre! Mas reagia e arrancava-se dali contra o voraz impulso.

Faz a melhor caipirinha de São Paulo e é uma tradutora simultânea sensacional, especializada em medicina e japoneses. Traduz o inglês dos japoneses, é isso. Sempre comenta que muitas descobertas da ciência moderna foram fruto da sua *serendipity* que era tanto culinária quanto medicinal.

Ah, me esqueci de contar qual era seu maior sonho. Queria, sacudindo sua Kombi pelos mercados, recheada de carne, frango, verduras, secos e molhados, passar por acaso, distraída, por cima de uma freira do Santa Marcelina vestida de pinguim. Qualquer uma. Atribuía nossa alienação aos colégios que frequentáramos. Talvez tivesse razão.

poil de carotte

MINHA CARMENCITA, *poil de carotte*, cabelos de fogo. As memórias começam lá longe, uma foto pequena, em Itatiaia, nós duas sentadas numa ponte, de uniforme de bandeirante, debaixo de uma primavera incrivelmente florida.

Quase inacreditável termos sido tão inocentes. E vida afora ela costurou essa amizade generosa, espírito prático de quatrocentona. Costureira da vida social, sabia e comemorava nascimentos, mortes, casamentos, divórcios, para que tudo se enroscasse num desenho maior, inteligível. Para ela, pelo menos.

Das últimas vezes que a vi estava se aproximando da morte alheia com uma naturalidade que mostrava sua imensa sabedoria. Adorava viver, mas entendia que morrer é a consequência óbvia e frequentava velórios numa boa, consolando os amigos, desde sempre.

Que eu saiba, não era a Carmencita de ninguém, só minha. Carmen Vieitas Vergueiro. Ela me fez ir com ela ao Mocotó para comprar doces de frutas brasileiras. Pobre desculpa, pois os fazia melhor do que qualquer um. Queria era conhecer o Rodrigo Oliveira, que se mostrou inteiro em sua lordeza do Norte. Estávamos combinando outra ida lá.

Orgulhosa do sobrinho-neto, Gil Carvalhosa, do Le Jazz, provara todos os pratos, principalmente as sobremesas, com altos elogios e carinho.

Pedia uma receita aqui outra acolá, mas não regateava as suas. Nossa receita de paçoca de carne é dela, explicada "tim tim por tim tim" com sua letra bonita de Des Oiseaux. Três carnes diferentes. Não gostava de incomodar o bufê e fizera amizades por baixo do pano, telefonando direto para Sueli, e talvez para o Carlos Siffert, que adorava as histórias dela.

A certa altura, quando Martha Kardos, professora de cozinha, já estava bem velha e não podia se esforçar demais, Carmen chegou e arrasou, tornando-se a aluna predileta, pela força ao bater um bolo ou ovos, e de cortar, costurar. Era cozinheira de mão-cheia.

Adorava a família. Há uns trinta anos se encontrou com minha mãe e descobriram afinidades. Aprendeu com ela a fazer flores de papel crepom, que depois reinterpretava a seu jeito.

Recebi a notícia de sua morte de supetão. Ah, Carmencita, suas mensagens, suas cartas, suas receitas... A preferência era escrever no verso dos envelopes de convites de casamento. Para que gastar uma folha nova com aquela vastidão branca dos convites?

Recebi sua receita de barreado sobre uma duna de areia branca, em Salvador. Falando só de comida para não falar de flores, que era seu hobby preferido, cabelos vermelhos e dedos verdes.

Nesses últimos meses teve uma rebordosa das boas, quase morreu, foi parar na UTI, detestou, e, enquanto convalescia, só queria se informar comigo que panelas pedir para os filhos no dia do aniversário. Queria renová-las, que não fossem pesadas demais, nem deixassem a comida pegar no fundo. Estava a toda, nadando, tendo aulas de francês, recomeçando. "E para de fungar, Nina."

Não gostava e não admitia queixas e choramingas.

Só nos resta sentir saudade dela sem fungar. Vou fazer o possível.

Marcelo

VAMOS LÁ, VAMOS TENTAR FALAR DELE, Marcelo Rodrigues, nosso antigo chef que morreu tão moço. Vinha de Criciúma, tinha passado pela Inglaterra, um rapaz bonito, quase sempre de bandana, fala mansa, estudioso. Fez o curso da Anhembi Morumbi e nos foi indicado pela Rosa Moraes, santa indicação. Começou a trabalhar conosco ainda inocente do que era a pressão de um buffê. Muito stress, cada vez um lugar diferente, pessoas sempre com as emoções à flor da pele. Ele enfrentava com calma, com sabedoria, tolerância, e ainda por cima tinha que esconder sua grande modéstia e timidez.

Procurava sempre qualidade de vida. A cozinha de grandes quantidades não é lugar para isso. Mas ele seguia reto, sem demonstrar o que o perturbava. Não me lembro de ter escutado sua voz se alteando no comando. Nunca. Como organizador era perfeito, quando chegava era para salvar.

Para neutralizar a experiência bruta de um cozinheiro, inventava moda. Resolveu ser vegetariano, e não havia ninguém que conseguisse tirá-lo do bom caminho dos brotos de feijão e do tofu. Emagreceu, ficou meio branquelo e retornou à carne com parcimônia. Sempre o equilíbrio, sempre. Faltou a ele um pouco de exibicionismo que um chef precisa para se promover. Fomos Marcelo e eu a uma reunião onde estariam os melhores chefs de São Paulo. Era na antiga Daslu. No carro conversamos sobre cinema, livros, comida, o diabo a quatro. Ao chegar lá, com todas as chances de se enturmar ficou quieto, calado, nem uma palavrinha, só escutando...

Nossos papos frequentes giravam muito em torno da família dele, da casa, das árvores do quintal, de cada fruta madura, da comida da mãe e do pai. Seu sonho? Nenhum sonho de glória.

Sonho era voltar para casa um dia, abrir uma pousada serena, conversar de mansinho com os amigos, fazer caminhadas a pé, adorava a natureza, o friozinho das noites estreladas, a lareira, os pinhões.

Econômico, já pensaram a benesse de um cozinheiro econômico?

Olhem um pedaço do blog dele (Cumbuca cheia) quando fotografou o pai fazendo um galo de panela. "Lá em casa as aves são abatidas com 2-3 anos de idade ou quando dá vontade de ensopar uma galinha, ou quando eu resolvo passar uns dias lá. A carne é tão dura quanto saborosa, e mais escura, de um vermelho intenso com muito colágeno, o que garante um molho dos deuses e se desmancha, par perfeito da polenta na linha."

A certa altura resolveu que a vida de professor era mais leve. Foi dar aulas no Atelier Gourmand, o que não o impedia de nos ajudar toda vez que precisávamos. Parece que não tendo a festa como obrigação, podendo escolher, ficava menos aflito por dentro.

Adorava caipiragens de comida caseira, mas fazia um marzipã inigualável, e inventou um patê de fígado de galinha que um desavisado poderia tomar como foie gras.

Mas foi embora para Criciúma e nem se despediu de ninguém. Estranhamos. E não voltou nem vai voltar mais. Um cozinheiro equilibrado e ético. Sem comentários. Que tenha deixado para aqueles que comandou um pouco de sua serenidade jovem.

Donizete

"Que ela chegue sem clarins ou trombetas, entre como facho de luz pelas gretas da janela e atravesse o quarto na sua claridade. Que ela chegue inesperada, como a chuva na tarde calorenta e faça subir o odor de poeira molhada. Que ela chegue e se deite ao meu lado, sem que a perceba. Que me lave com água da fonte e me cubra com o bálsamo branco do silêncio (Donizete Galvão, in "Mundo Mudo")."

PUBLIQUEI AQUI E-MAILS DO POETA DONIZETE durante muitos anos. Eu não resistia, eram sempre sobre comida e muito bons. Agora ele morreu, sem aviso, sem barulho.

Era guardião da coluna, sempre atento, comentando, criticando, rindo e, sendo o grande poeta que era, adorava se disfarçar de mineiro da roça. Como entendia de abobrinhas verdes alumiando no chão dentro de campos e milharais... De piabas prateadas. De canjiquinha, de frango com quiabo. De homens fortes, mãos calosas da roça. Bom, era tudo a raiz da infância de mangas e goiabas no pé e, depois, do susto da cidade, do cimento, da rua cinzenta, da experiência do amor.

Dentro da jequeira que adorava fingir, entendia o que era uma comida fina e boa e outra só de modinhas ridículas. E ria, generoso, compreendendo tudo, elogiando o que era bom, juntando pessoas, puxando o brilho dos tímidos, misturando gente, sem pudor, um grande poeta, mas, antes de tudo, um homem bom. Um homem natural. Um homem comum, o que o fazia o mais incomum de todos. Essa coluna vai se lembrar dele para sempre, dos seus e-mails, das suas respostas que nunca faltavam, das suas perguntas irônicas.

Havia contado a ele que estava com vergonha de falar, simplesmente falar, pois havia ido almoçar com uma amiga, inteligente, editora até, e a certa altura da conversa ela tirou um caderninho do bolso e começou a tomar notas. Intrigada, perguntei que musa baixara nela naquele calorão de churrascaria. Não, é que gostava de tomar nota de palavras que não conhecia e eu era mestra nelas.

Enfiei a viola no saco. Ela percebera que meu vocabulário simplesmente caducara e tentava salvar o que podia.

Fui direto ao Donizete, que adorava palavras e que começou a colecionar algumas que via nos jornais, bem fora de propósito para se consolar. Ele conhecia todas e mais algumas, era o seu ofício sério de poeta brincar com elas.

E o que mais me arrependo de tudo era não ter elogiado seus poemas como mereciam. Quando o conheci fui avisando que seria pobre crítica e leitora, pois a poesia me dava medo, era sempre um poço sem fundo onde eu não queria cair e me segurava nas bordas para não sentir o choque do gelo daquela água. Ele não insistiu, mas um dia me deu a obra completa do T.S. Eliot, vai entender!

E agora, Donizete, como estão as coisas? Queríamos tanto saber de você! Já entendeu tudo? Está louco para nos contar a simplicidade que é o mistério da vida? E que valeu toda a pena do mundo ter sido quem foi? O amoroso pai, marido e amigo? A morte tem gosto de cerveja gelada ou é uma água pura, que mata a sede? Muita saudade, viu, Donizete?

ESTA OBRA FOI COMPOSTA POR ACOMTE EM ADOBE GARAMOND PRO E IMPRESSA
PELA GRÁFICA BARTIRA EM OFSETE SOBRE PAPEL PÓLEN SOFT DA
SUZANO PAPEL E CELULOSE PARA A EDITORA SCHWARCZ EM OUTUBRO DE 2015